JN236475

7年前の顔になる

Beauty Artisan
Yukuko Tanaka
Method

田中宥久子の

「肌整形」メイク

［序章］

悪戦苦闘の末に「SUQQU」は生まれた

炎天下や厳寒の地で敢行されるロケ、早朝から深夜まで及ぶスタジオでの撮影——。映画やドラマの製作現場では、俳優、スタッフを問わず、そこに関わる全員が常に厳しい条件との闘いを迫られる。私も、そんな映像の世界に身を置くひとり。フリーランスのヘアメイク・アーティストとして長年、過酷な現場に携わってきた。

これまで私は、一度も会社や事務所に属したことがなく、アシスタントも経験していない。美容師だった祖母に幼い頃から美粧の基礎を仕込まれて育ち、東京都における美容の国家試験に合格すると、いきなりフリーでヘアメイクの仕事を始めたのである。会社に入れば安定はするけれど、やりたい仕事だけを選べない……それが理由。ずいぶん生意気な小娘だったと、自分でも認める。

もちろん当時は、映像の世界で女優や俳優のヘアメイクを手がけるようになるとは、思ってもみなかった。でも気が付くと、撮影現場に立ち続けて30年以上。しかも今は、化粧品作りにまで関わっている。人生は、本当にわからない。

4年ほど前のことになる。化粧品メーカーから突然、新ブランド開発の話を持ちかけられた。大人の肌を知り尽くすメイクアップ・アーティストを探しているという。ゆうばり国際映画祭で私がビューティスピリット賞を受賞したことを知り、声をかけてきたようだ。

ブランド開発の担当者から最初に、好きな化粧品ブランドを問われた。私は「ひとつもありません」と本音で答えた。今までにないベースメイクブランドをつくろうと考えているメーカーが次に聞いてきたのは、ファンデーションについて。
「お仕事ではふだん、何を使っているんですか?」
「各ブランドのファンデーションを混ぜ合わせて、自分で工夫したものを使ってます」
この発言によって私は、どこにもない化粧品をつくり出すという、未知の世界に飛び込むことになったのである。それからの3年間はまさに、ブランド開発のスタッフや研究所の人々との闘いだったと言えるかもしれない。
ただ、彼らが理解に苦しみ抵抗するのも無理はない。「ファンデーションにはグリーンを除く6色の粗い粉を混ぜ合わせて」「パウダーにもリキッドにも大きい粒子を入れて」など、私の注文はことごとく化粧品業界の常識を根底から覆すものばかりだったのだから。
見本となるような商品がないため、口で説明するより仕方がなかった。もちろん、スタッフの前で何度もデモンストレーションを試みた。でも、最終的に化粧品作りのプロたちを動かしたのは、この一言だったと思う。
「こうしたほうが肌は絶対きれいだから!」
悪戦苦闘を続ける中で、この仕事から手を引こうと思ったことは正直言って、一度や二度ではない。それを踏み止まらせたのは、娘のこんな言葉だった。
「お母さんは女性たちのために、本当にいい商品をつくりたいんでしょ? ここで投げ出したら今までの頑張りや思いは誰にも伝わらないのよ」

きれいであるという自信は、女性を生き生きとさせる。その喜びを、より多くの人に実感してほしい。これが私の思い。だから何としてでも、女性たちが待ち望む化粧品をつくり上げないわけにはいかなかった。

こうして2003年9月、化粧品ブランド「SUQQU」が誕生した。

映像の世界で築いた掟破りのメイク法

振り返ると、私がヘアメイクの仕事を始めた'60年代は、強烈なアイラインにつけまつ毛、さらに色で遊ぶという濃厚なメイクが全盛の時代。その頃、広告のスチール撮影や雑誌の仕事をしていた私は、「これは腕の見せどころ」とばかりに、意気軒昂（いきけんこう）として仕事に打ち込んだ。

ところが、30代に入ると、モデルの顔をただきれいに仕上げればいいだけの仕事に、だんだん物足りなさを感じるようになってきた。彼女たちはみな若く、メイクをしなくても充分に美しい。そういう女性をきれいに見せるメイクなら、誰にでもできる。

「映画の仕事をしてみないか」と声をかけられたのは、そんな矢先のことである。髪の毛一本にまでこだわる広告写真に比べ、映像の世界は柔軟で面白いに違いない。実情を知らない私は、甘い考えで仕事を引き受けた。それが……。

映画の製作現場がどれほど過酷で、俳優たちの要求がいかに厳しいか、それを思い知るのに時間はかからなかった。でも、この上なく大変で奥深い世界だからこそ、たちまち魅了されてしまったのだろう。何しろ、無理難題を突きつけられると「やってやろうじゃないの！」と闘志が湧く性質なものだから。

映画の仕事を始めて間もなく、私は映像の世界で常識とされるドーランの使用をやめた。仕上がりに納得がいかなかったからだ。ドーランのカバー力は、確かに強力。でも、どうしてものっぺりとした仕上がりになり、顔にニュアンスが出ない。そこで、既存のリキッドファンデーションを使うことにしたのである。

私がもし会社に属する人間だったならば、おそらく与えられたメイク用品の枠内で仕事をしていたと思う。映画製作の現場にリキッドファンデーションを持ち込むというのは、フリーの身だからできた冒険。ただ、長年ドーランをよしとしてきた俳優たちの固定観念を打ち壊すのに、かなりの苦労を強いられた。

その関門は何とかクリアしたものの、別の問題が私を悩ませた。それは、「シワを目立たなくしてほしい」「シミを消してほしい」といった、男性俳優からの要求。欠点を隠すことに関して、俳優はともすると、女優以上に敏感だ。

しかし、欠点カバーは男性のほうがはるかに難しい。というのも、女優と違って俳優は、メイクしていることがわかってはいけないため。こうした難題が、私をナチュラルカバーメイクの模索へと駆り立てた。

越えなければならないハードルは、他にもあった。たとえば、肌のツヤは時間の経過とともにテカリに変わる。あるいは、くすむ。でも、カメラが連続して回っている映画の製作現場では、たとえ女優の化粧くずれが気になっても、すぐに手を加えることはできない。女優の顔を、きれいに映るよう仕上げるのは簡単。ただし映像の場合、瞬間的な美では意味がない。私の仕事は、ベストな肌状態を長時間キープさせること。

すべてはベースメイクにかかっている。けれど、その問題を克服するためのファンデーションはなかなか見つからなかった。これはもう、自分で工夫するしかない。各化粧品メーカーのファンデーションを調合するなど、ベースメイクのための試行錯誤が続いた。

もう10年以上前になるだろうか、さらに発奮させられる仕事に出会った。荒木経惟氏の写真集「女優シリーズ」。女優はメイクをしているが、素顔のように見えなければならない――。これが私に課せられた使命。もちろん、自信はあった。

初めて撮影の場に臨んだ日のこと。私が女優にメイクし終えると、荒木さんはさっそくパシャパシャとシャッターを切り始めた。１００枚近く撮った頃だったと思う。アシスタントが「これからだな……」とひと言。今までの時間は一体、何だったのか？　思わず疑問をぶつけると、彼はこう言ったのだ。

「女優さんの肌に自然なツヤが出るまで待っていたんです」

愕然とした。私のメイクでは、ツヤがまだ不十分だったのである。たまらなく悔しかった。よし、次こそは、最初から本番のシャッターを切らせてみせる！　こうして再び、フアンデーションの研究が始まった。その成果が実ったのは「女優シリーズ」の３作目。メイク直後から、荒木さんが望む自然なツヤを実現させることができたのである。

私は常に、仕事をともにする人たちのプロ意識に１２０パーセント応えたいという気持ちで現場に立ってきた。「こうしてほしい」と求められれば、「絶対に解答を出そう」と努力する。でも、従来の化粧品とメイク技術では自分が目指すレベルに行き着けないから、ファンデーションをアレンジしたり、独自の手法を追求するしかなかった。わずか数分行うだけで顔が若返る「顔筋マッサージ」も、そうした成果のひとつである。

雑誌や広告写真の場合は、一瞬の美が勝負。でも映像は違う。映画もドラマもフィクションの世界ではあるけれど、あくまで実生活を描いている。だから当然、役者のメイクにはリアリティがなければいけない。美とはリアルの上にある——。私はそう思っている。

毎日が、独学と臨床の繰り返しのような日々。研究し、実際に処方しながら行き着いた私流のやり方は、従来のメイク法からすれば、かなり掟破りなものかもしれない。たとえそうであっても、私の中ではどれもが「常識」。なぜなら「リアリティのある美しさが持続する」という事実が、自分の方法が正しいことを証明してくれているから。

ＳＵＱＱＵを立ち上げるとき、私はこう考えた。多くの女性が日常的に「リアルな美しさ」を体現できる化粧品にしたい、と。すっくと立つ凛々(りり)しくしなやかな女性をイメージしたこのブランドには、私がこれまで培ってきた経験から生み出した、美容理論とテクニックのすべてが結集されている。

目次

DVD版
田中宥久子の「肌整形」メイク

ディスク挿入後、自動的に右のようなメイン画面が出てきます。DVDプレーヤーのリモコンにある▲▼（カーソル）のボタンを押して、ご覧になりたい項目を選択します。その後、「決定」、または「実行」を押してください。「全編再生」を選択すると、すべてを通して見られます。

第2章

実践！ 造顔テクニックⅠ 顔筋マッサージで即効「小顔」 39

DVD収録

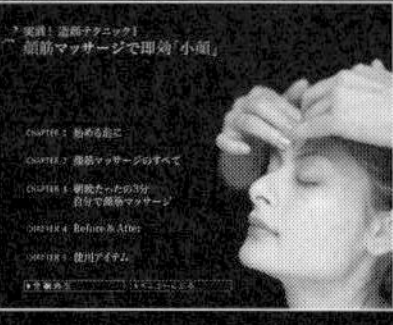

第3章
実践！ 造顔テクニックII 立体メイクで即効「美人」

DVD収録

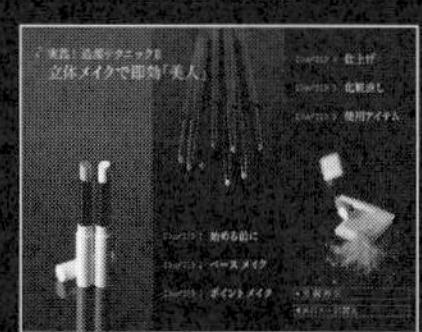

Beauty Artisan
Yukuko Tanaka
Method

第1章

顔をゼロからつくり直す
「造顔」~田中メソッドの極意

スキンケアもメイクも「造顔」と考える

時折「変身メイク」というフレーズを見たり聞いたりすることがある。私はこの表現が嫌い。変身といっても、メイクによって顔そのものが変わるわけではない。いつもと違う表情に見えるのは、化粧がもたらした目の錯覚。表面を取り繕うだけでは所詮、本物の美しさを手に入れることはできないと思う。

たとえば建物にしても、柱の傾きや壁のひび割れは修繕できる。しかし土台が不安定だと、また同じ現象が起こるはず。逆に、基礎さえしっかりしていれば、高い建物でも大抵は崩れない。

顔も、建築と同じ。何より大事なのは、土台をきちんとさせること。肌も顔立ちも、ゼロからつくり変える。私の基本にあるのは「造顔」という発想なのだ。

従来のスキンケアはシワやたるみ、くすみなどのトラブルを、肌表面へのアプローチによって解消しようとするものがほとんど。私の考えは違う。トラブル解決は、加齢とともに衰えていく顔の筋肉を鍛えて再生させることから始まる。すなわちそれが「造顔」だ。

筋肉への働きかけイコール、スキンケア。肌は、筋肉をくるりと包んでいる一枚のヴェールにすぎない。だから、肌の表面を再生させるだけでは、必ずしも「美しい顔」は持続しない。シワ、くすみ、たるみといったトラブルの根本解決は、筋肉を再構築することで初めて実現する。
私はメイクアップもまた、「造顔」の一環だと捉えている。女性の化粧は単なる身だしなみではないし、シワやシミなどの欠点を覆い隠すためのものでもない。
メイクとは、肌を、顔立ちをつくり変える行為。「変身」などではなく、「整形」のレベルにまで持っていくこと。それが本来の役目。
スキンケアとメイクによって毎日「造顔」を繰り返すうち、人の顔は自分が目指す方向へと必ず変わっていく。ヘアメイクの仕事を通じて日々実感してきたことだから、私は自信を持ってそう言える。

シワは肌の記憶でしかない

映像の世界では、ひとりの女優が10代から80代までの役を演じるといったことは珍しくない。その場合、ヘアメイクの仕事に、シワをなくす、またはつくるといった作業が生じてくる。
たとえば50代の女優が20代の役を演じるとき、シワを消すためにこめかみから肌を引っ張り上げてテープで止める。かつらをかぶってしまえば、はた目にはぜんぜんわからない。物の見事に30年前の顔に生まれ変わる。シワなんて、何とでもなる。女優を30歳若返らせるのは、実に簡単なことなのだ。

反対に、30代の女優が老女を演じる場合は、皮膚を寄せて固定し、人工のシワをつくり出す。ところが、映画などの撮影で1週間も老け役を続けると、女優の顔には本物のシワができてしまう。この現象から、私はある確信を得た。

毎日、顔の同じ部分にヨレを作る。やがて、皮膚がその感覚を覚え込む。つまり、シワは肌の記憶でしかない。

ということは？　肌にシワではなく、ハリを記憶させてしまえばいい。そのために、顔の筋肉を鍛える必要があるのだ。

人間の肌というのは、私たちが考えている以上に高い適応能力を備えている。脳と同じように、鍛えれば鍛えるほど、賢くなっていく。

顔にだって凝りがある

身体だけでなく、顔だって凝るし、疲れも溜まる——。映画撮影で長期にわたって毎日、同じ俳優の顔に触れる中で気付いたことだ。

顔には、驚くほどたくさんの筋肉が張り巡らされている。それらが緊張や疲労によって硬直し、凝りを引き起こす。当然、リンパの流れが悪くなり、老廃物や水分が溜まって顔にむくみが生じたりする。さらに、頬骨から下の部分には脂肪の塊もできやすい。これらの要素が絡み合って皮膚の下にゴロゴロとした凹凸を作り、顔をたるませる。口まわりの表情じわに肉がかぶさり、濃い陰となってほうれい線が生まれるのもそのためだ。

こうした仕組みを理解するために、本を読んで勉強したし、医者をはじめとする専門家にもいろいろ話を聞いた。もちろん、理論を飲み込んだからといって、顔のデコボコが消せるわけではない。実際に取り除くための方法を見つけ出すべく、私はさまざまなマッサージを試みた。なぜなら、自分の仕事に必要なことだったから。

女優はどんなコンディションであっても、常にベストな状態で撮影に臨まなくてはならない。でも、寝不足が続いて疲れが溜まれば顔がむくんだり、たるみが出る。一本の映画の中で、女優の顔が違ってしまうと不自然。私はメイクの前に、彼女たちを「いつもと同じ顔」にする必要があったのだ。

とはいえ、顔の凝りを取り除くベストなマッサージ法は、一朝一夕に編み出せるものではない。事実、完成させるまでに12年の歳月を費やした。

その結果生まれたのが「顔筋マッサージ」。これこそが田中メソッドの原点であり、私が独自のメイク方程式を導き出す大きなきっかけになったのである。

〝イタ気持ちいい〟マッサージ

顔筋マッサージの目的はあくまで、肌ではなく筋肉そのものに働きかけ、顔を丸ごとつくり変えること。そう、「造顔」のためのマッサージだ。

かつて「マッサージは自分でしてはいけない」と言われた時代があった。肌をむやみに擦りがちなためかえってシワを作ってしまう、というのが理由。そのため、なでるようなやさしいタッチに徹するのが常識とされている。

でも、この顔筋マッサージは擦ったりなでたりするのではなく、指に力を入れて圧力をかけるというもの。リンパの流れをよくして顔の老廃物や脂肪を取り除くには、肌の表面を擦るようなソフトなタッチではダメ。ツボを捉え、硬直した筋肉を解きほぐすだけの、強い圧力が不可欠だ。

もしかすると最初は、痛いくらいの圧力を感じるかもしれない。女優たちも、初めて私の顔筋マッサージを受けたときはビックリしていた。「何するのよ！」と。でも慣れてくると、強い圧力が心地よさに、さらには「イタ気持ちいい」快感へと変わる。顔に溜まっている不純物を取り除くことに、清々しささえ感じるはず。

では、肝心の効果は？　顔のむくみやたるみ感は、マッサージ直後から引いていく。たるみが取れることで小じわも解消され、顔の輪郭がスッキリとして小顔になる。とくにわかりやすいのがあごのライン。しばらく続ければ二重あごも解消され、首との境もくっきり。さらには目鼻立ちがはっきりし、口角や目尻、頰のトップの位置も高くなる。

効果は肌表面にも表れる。圧力をかけることで、毛穴に入り込んだ汚れまで取り除くことができ、くすみが取れて透明感がアップ。そのうえ、ＳＵＱＱＵの顔筋マッサージ専用クリームは贅沢なほど保湿成分を含んでいるので、肌が潤い弾力も戻る。触ると、肌にもちもちとしたハリが生まれたことがよくわかる。
マッサージは、スキンケアやメイクと同じラインに並ぶ美容ジャンル。誰もが日常的に取り入れて然るべき、と私は考えている。

顔筋を再生して「7年前の顔」になる

骨格にまで届くような顔筋マッサージによって顔の凝りを解消すると、顔立ちは明らかに変わってくる。顔全体が引き締まり、小さくなる。まさに「造顔」の実現。
現に体験者からは、周囲に「やせた？」と何度となく聞かれたという声が上がっている。また、私はＳＵＱＱＵを立ち上げてから、お客様のこんな驚きも目の当たりにした。
百貨店でセミナーを開いたときのこと。その日、親子連れ立って会場に足を運んでくださったお客様がいた。母親は50代、娘は20代。ふたりに鏡の前に座っていただき、私と美容部員がそれぞれ、母娘に顔筋マッサージとメイクを実践した。その時点では、鏡が並列にセットされているため互いの顔が見えない。
30分後。メイクを終えた母と娘が、初めて向き合った。「昔のママみたい！　うちの母は若い頃、こんなふうにきれいだったんです」
顔筋マッサージをすると、印象年齢は5歳から10歳も若くなる。自分自身が鏡の前で実感する以上に、顔の変化は客観的な視点に立った第三者からはっきりと認識される。だから「昔のママみたい」という発言が飛び出すのだ。
女性の節目を7年サイクルとするならば、顔筋マッサージは「7年前の顔」に戻すアンチエイジング法とも言える。単なる目の錯覚ではない。確実に顔が若くなるのだ。

隠そうとするほど欠点は目立つ

肌の衰えが目立ち始める30代を過ぎると、女性は「老けて見える」ことを恐れ、シワやシミなどを覆い隠すためにファンデーションにすがろうとする。でも、隠そうとすればするほど、逆に欠点は目立つ。やみくもに力が入るだけに、30代からのベースメイクは裏目に出てしまうことも少なくない。それは、カバーする方法を履き違えているから。
老けて見える要素は大きく、次の3つに絞られる。まず目頭と目尻、小鼻の3点を結ぶ目の下の三角ゾーン。シワ、クマ、たるみが集中する箇所だ。
2つ目は、口元のほうれい線。この「ハ」の字によって作られる陰が、老けた印象を招く要因であることは誰もが認めているだろう。
3つ目のポイントは、小鼻の横。ここは毛穴が開きやすい部分で、人によっては赤いラインになり目立ってしまう。これが、顔を疲れたように見せる元凶。
こうして老け顔を作り出す要素を挙げてみると、原因はそういくつもない。ポイントをきちんと押さえさえすれば、顔全体をファンデーションで覆い隠さずとも、欠点はカバーできる。
映像の世界で私は、俳優の神経質なほど厳しい要求から「シミやシワなどを完璧に隠し、なおかつメイクしていないように見せる」カバーテクニックの難しさを思い知った。でも、そういう経験があったからこそ、決定的な欠点を克服するナチュラルカバーメイクの極意を得ることができたのだと思う。私のテクニックは、俳優に鍛えられたようなもの。そう言っても過言ではない。

結果がきれいなら、それが一番

今から20年前、パリのオルセー美術館を訪れたときのこと。私は一枚の絵画に引き寄せられ、しばらく立ち尽くした。その絵とは新印象派、ジョルジュ・スーラの作品。スーラが描く人物を離れて眺めたとき、あまりにも素晴らしい肌の透明感に驚いた。なぜ、これほど美しいのだろう？　その秘密を知りたくて絵に近付くと、肌にはさまざまな色の小さな「点」が。そう、点描画だったのである。
これだ！　私はスーラの絵を前に確信した。人の肌も「面」ではなく「点」のごとく描かなくてはいけない、と。
私の飽くなきファンデーション追求は、この発見を境に始まったと言っていい。最初に試したのは、何色かのフェイスパウダーをファンデーションの上からブラシで重ねるという方法。でも、この作業は手間がかかる。そこで、思い切って数色のパウダーを混ぜ合わせてみると……。なんと、ベージュの粉が出来上がったではないか！

「肌づくりは点描画である」

私の確信は、やはり正しかった。その証拠に、映画撮影で女優にメイクをする際、リキッドファンデーションに数色の粉を混ぜて使ってみると、肌の透明感とツヤが明らかに違った。そのうえ、時間が経ってもくすまないし、くずれない。

女優のこうした肌の変化に真っ先に気付いたのは、映像の照明技師だった。

「光の量が今日はいつもの半分で済んでいるんだけど、化粧のせいだろうか。田中さん、何か特別なことした？」

「魔法のファンデーションを使ったの。でも、詳しいことは企業秘密」

私はこれまでずっと、結果だけで生きてきた。自分の方法がたとえベースメイクの常識から外れたものであっても、最終的にきれいに仕上がれば、それが一番と信じている。ファンデーションも然り。何色もの「点」にこだわり続けたのは、結果としてきれいだから。

肌色は6色で。グリーンは必要ない

ファンデーションを生み出す過程で私がどうしても譲れなかったこと、それはもちろん「色の点描」。では、一体どんな色なのか？

ピンク、コーラル、イエロー、白、柔らかな紫、淡い青――。

この6色が、私の導き出した結論だ。ピンク、コーラル、イエローは昼の光に反射する色。白は一日中不可欠な色。紫と青は、夜に澄んだ輝きをもたせるための色。とくに、夕方からの乏しい光の中でも肌色をくすませない効果がある。

ファンデーションの中にこの6色の粒子を点在させたとき、人の肌はリアルな美しさを湛える。どんな光の下でもほのかな輝きと冴えた透明感が損なわれず、一日中、しっとりとしたなめらかな肌が持続する。

でも、6色の中にグリーンが入ってないのはなぜ？　そう首をかしげる人も少なくないかもしれない。グリーンはコントロールカラーとして使われる、肌の赤みを抑える定番の補整色のはずなのに、と。

私の疑問はむしろ逆。コントロールカラーにどうしてグリーンを使うのか、それがずっと不思議だった。グリーンが肌をくすませるというのは、映像の現場にいる人間なら誰もが知っていること。そのため私は以前から、特殊なメイクをする場合を除き、この色を頑なに使わずにきた。

グリーンを取り入れると、肌色はとたんに濁る。コントロールカラーの効果も実は、そこを狙ったもの。肌色をグレーに濁らせて、赤みを弱めているにすぎない。

肌づくりに、グリーンは不必要。だから当然、ファンデーションにこの色は入っていない。

色は、私たちが考えている以上に不可解で神秘的だ。そして人間の肌も、肉眼ではわからない不思議な色の世界を持っている。少なくとも、「肌色」という既存の一色でくることはできない。
私が6色の点描にこだわったのも、そこからグリーンを排除したのも、ちゃんとした理由があってのこと。肌色の真実を追究し、見極めた末にたどり着いた選択なのだ。化粧品業界の常識を覆そうなんて大それた考えは、微塵（みじん）もない。

粒子はむしろ大きいほうがいい

化粧品業界では今、パウダータイプであれリキッドタイプであれ、ほとんどのファンデーションが「粒子の細かさ」を競っている。超微粒子であることもまた、揺るぎない常識のひとつと言っていい。
しかし私がつくったファンデーションは、ファンデーションの中にあえて「大きな粒子」を入れることにこだわっている。その大きさは、一般的に使われる顔料の100倍以上。これにもやはり理由がある。
小さな粒子は最初のうちはきれいでも、時間が経つと肌の溝や毛穴に入り込んでしまう。でも、大きければ毛穴に落ちることもない。粒子が肌表面に均一の膜をつくるため、くすみなどの欠点をきれいにカバーできる。

また、大きな粒子は肌の表面で点描画のように点在するため、スーラの絵と同様の、一面的ではないニュアンスと透明感をもたらす。その効果は、時間が経っても変わらない。

私が一番大切にしているのは素肌感。あくまでも薄く見える、ナチュラルなベースメイクだ。それは、映画の現場でも常に徹してきたこと。ある女優は、こう言った。

「ファンデーションを何度も重ねているのに、ぜんぜん厚ぼったくない。しかも、どうしてこんなにきれいなの!」

重ねても素肌のように見え、時間が経つほどなめらかできめ細かになっていく——。これが私の理想とするベースメイク。だからファンデーションには、何が何でも「6色の大きな粒子」が必要だったのである。

「吸収する肌」から「反射する肌」へ

あなたは、コンシーラーに対してどんなイメージを持っているだろうか? 「肌のトラブルを隠すためのもの」「単なる目くらましの道具」など、どちらかというと消極的なアイテムとして捉える人が多いはず。

しかも「欠点がきれいに隠れない。瞬間的に消えてもカバー力が持続しない」といった声もよく耳にする。私も以前は、同じ不満を抱えていた。しかし映画の撮影現場では、俳優たちの肌の欠点を何としてもカバーしなくてはならない。

そこで生み出したのが、2色のコンシーラーを同時に使うという独自のテクニックだ。必要な色は、白と肌色。この2色が、欠点をきれいにカバーすると同時に、メイクの仕上がりを決定付ける大きな使命を担っている。でも、どうして肌色だけでなく、白なのか？

人の肌には大きく分けて、2種類のタイプがある。ひとつは「光を反射する肌」で、多少の小じわやクマなら光で飛ばすことができるため、きれいに見える。それに対して「光を吸収する肌」は、いくら光を当ててもくすんで欠点が目立ってしまう。東洋人に多いのが、この肌タイプ。白のコンシーラーを使うのは、肌の表面に光の層を取り込むため。吸収する肌を反射する肌に変えることを目的にしている。つまり、*レフ板の役目を果たす。

ポイントは、白を最初に塗ること。その上から肌色を重ね、2色同時に指で一気にぼかしていく。こうすると、シミやクマがきれいに消えて肌に透明感が生まれ、なおかつ自然な仕上がりになる。

これが、ダブル使いの効果。私が女優のメイクに2色のコンシーラーを積極的に取り入れてきた理由でもある。

皮脂を化粧直しの味方につける

メイクは女性たちを元気にする一方で、相当なストレスも与えている。一番の原因は、時間の経過とともに起こる化粧くずれ。この問題が解消できれば、ふだん女性が受けてい

スーラ「横顔の座ってポーズする女」オルセー美術館所蔵Ⓒ Photo RMN／H.Lewandowski／digital file by DNPAC

＊光を反射させ、光量を補うための反射板。撮影現場で使われている。

るストレスの何割かは軽減されるかもしれない。

私にとっても、化粧くずれは手ごわい難題だった。撮影現場では、強いライトが俳優たちの肌を照らす。どんなにきれいに仕上げても、メイクは必ずくずれてくる。

肌に浮いている皮脂をあぶらとり紙で押さえ、パウダーファンデーションを重ね塗りするというのが、化粧直しのセオリー。私も従来のルールに従っていたのだが、この方法だと直せば直すほど仕上がりが壊れていく。そのうえ、余計にくずれやすくなってしまうのだ。

ところがある日、大きな発見をすることになる。現場で化粧直しをするとき、私はいつも完璧に皮脂を取り除いていた。でも、時間が限られていたこともあってたまたま簡単に済ませたところ、逆にメイクがくずれにくくなったのである。

皮脂は常に出続けるものであり、分泌が止まることは絶対にない。それを100パーセント拭き取ってしまうと、表面を覆う皮脂膜をも取り除くことになり、新しい皮脂分泌を誘うため余計に皮脂が出る結果になってしまうのだ。

こうした肌機能に気付き、私は「8割取って、2割残す」という方法に行き着いた。化粧くずれはいわば、ファンデーションの膜が、部分的に剝(は)がれて断層のようになっている状態。これを、残した2割の皮脂をつなぎにして一枚の膜につくり直す。

皮脂はもともと自分が持っている天然の脂だから浮かないし、くずれにも強い。残すことで、肌に程よいツヤとハリが生まれる。どんなファンデーションを使っても、化粧くずれは必ず起きる。皮脂は断然、化粧直しの味方につけるべき!

日常の顔にパールはいらない

メイクにちょっと手間をかけるだけで、女性はきれいになれる。でも、その「ちょっと」が的外(まとはず)れだったなら？　化粧の効果は半減してしまう。

的外れの最たる例は「色」。これは私が常々感じていたこと。だから私がつくったアイシャドウ、口紅、チークは「東洋人の肌に合う色」だけをラインナップしている。しかも、定番色にはいっさいパールが入っていない。

パールは、つけた瞬間は確かにきれい。だけど、時間が経つと皮脂と汗によってくすむ。結局は顔色を悪く見せてしまう。もちろんパーティや特別な日など、メイクで遊びたいシーンなら思い切り使ってみるのも楽しい。でも、一日もたずにくすんでしまうパールは、日常メイクには不向き。パール全盛の今、あえて入れないのは、こうした確固たる理由があるからだ。その代わり、発色とテクスチャーにはとことんこだわっている。白人に比べ黄みが強い東洋人の肌は色が沈みやすいため、くすませるカラーはすべて排除。テクスチャーは布のように柔らかく、アイシャドウやチークはそれ自体が皮膚になりきるほどのフィット感を備えている。

顔の骨格が作り出す自然な陰のニュアンスをそのまま表現した色。肌になじむテクスチャー。この2つの要素を追求するうえで、そもそもパールは邪魔だったのである。

日本人の肌にはミカン色が不可欠

ＳＵＱＱＵのアイシャドウを初めて目にしたとき、ひょっとすると手にとることをためらうかもしれない。中でも「ミカン色」が一番、躊躇の対象になるだろうと思う。というのも、女性たちが知るアイシャドウのカラーとは一線を画す色だから。

フレッシュなオレンジ色とはひと味もふた味も違う、和のテイストを持ったミカン色は絶対、日本人に似合う！　私はずっと、そう信じていた。でも、どの化粧品メーカーを探しても見つからなかったから、どうしてもつくりたかったのだ。

スタッフは「そんな色、売れるわけがない」と大反対した。でも私は「この色を絶対に出す」と、自分の主張を譲らなかった。そして、いざ商品化されてみると、「萌山吹」というミカン色のアイシャドウは、大ヒット！

黄みと赤みをブレンドしたミカン色は、肌にのせると実にしっくりとなじむ。黄みが肌色と、赤みが血色と見事に同化し、溶け込みながらも洗練された主張を放つ。東洋人の瞳や眉毛の色とも相性がよく、まぶたの立体感を的確に表現する。まさに、肌色にも透明感が感じられる日本人の顔を美しく見せる色。

年齢を重ねるにつれ、多くの女性は曖昧なトーンのアイシャドウを選びがち。でもむしろ、これくらい彩度の高い色を使ったほうがいい。鮮やかであっても浮かないし、くすみ

を増幅させない威力も持っている。この基準を満たすミカン色は、大人の日本人女性に必要不可欠——。私は断言する。

ベージュの口紅は一生、塗り続けられる

ベージュの口紅は、女性にとって理屈抜きの憧れ。でも実は、加齢とともに次第に似合わなくなってくる。そんな現実を突きつけられる色であるにもかかわらず、私が打ち出す口紅のバリエーションは、ほとんどがベージュ。けれども、それは年齢を重ねるほどに似合うベージュばかり。

一口にベージュといっても、東洋人と欧米人とでは、似合う色みが微妙に違う。東洋人の肌は黄みが強いため、ベージュの中に潜む「暗み」に負けて肌色がくすみやすい。これが「だんだん似合わなくなる」原因。

ならば、その暗みを抜いてしまえばいい。でも、どのようにして？　ベージュは肌色と同様、複雑な色のブレンドから成り立っているため、単にダーク系を取り除けばいいというわけにはいかない。

そこで私は、顔料の黄みと赤み、白のバランスを徹底的に吟味して、暗みのないベージュを実現。唇にのせたとき、くすみを誘わない口紅を完成させた。

年齢を重ねれば重ねるほど似合っていくベージュはある。憧れを断念する必要はない。

女性は一生、ベージュの口紅を塗り続けることができるのだから。

メイクは35歳を過ぎてからが面白い

私は、若い女性の肌にはあまり興味がない。20代の顔にはパーンとしたハリがあり、生き生きしているから、マスカラと口紅をプラスするだけで、充分きれい。私にしてみればメイクのしがいがなくて、つまらない。でも多くの女性たちは、20代のメイクが一番楽しいと考えているのではないだろうか。自由奔放に色を取り入れられるから、と。

実際、日本女性は年齢を重ねるほど、メイクを楽しまなくなる。いや、楽しめなくなるのだ。シワやたるみなどの欠点をカバーすることに縛られるがために。

35歳を過ぎると、顔の筋肉が衰えてたるむというのは紛れもない事実。確かにそれは、女性にとってデメリットではある。

けれども肌の落ち感や凹凸は逆に、顔そのものにいい陰影を作り出す。若いときののっぺりとした肌には決して表れることのない、深みとニュアンスを生む。すなわち、メリットと考えることもできるのだ。

肌のちょっとした陰を利用して、骨格に沿ったメイクをすると、顔はいくらでも変えられる。たとえば、チークを耳の付け根から頬骨に向けてふわっと入れるだけで、顔の側面にメリハリが生まれ、全体がすっきり引き締まった印象になる。

それに、化粧していることを感じさせないメイクができるのも、実は35歳を過ぎてから。これは「若くない肌」だけに与えられた最高の贅沢と、私は考えている。だから、メイクは35歳を過ぎてからが面白い。

年をとることは楽しい

なぜ人は、年齢が増していくことを怖がるのだろう。私は年をとるのが大好きだから、どうしてもっと楽しまないのだろうと、不思議でならない。

人間は人生経験を積むごとに、新しい選択肢を手に入れる。知識が増え、人脈は広がり、趣味を楽しむ余裕も生まれる。その中から何をチョイスし、何を削ぎ落とすか。そういう生き方は、年齢を重ねなければできないこと。そう考えると、年をとることは楽しみであるはず。それでも恐れてしまうのは、自分の実年齢に縛られているためではないだろうか。「もう40だから」「50にもなって」といった発言が、それを物語っていると思う。

ファッション、メイク、ヘアスタイル、いずれに対しても、とくに女性は年齢を意識する。実年齢にふさわしくあるべきと、中年の色を探す。まるで自ら年をとろうとしているかのようだ。

少なくともメイクでは、年齢を気にするのをやめてほしい。経験や知性、教養は、顔に表れる。メイクにわざわざ年齢を織り込むなんてことは、しなくていい。必要なのは、きれいになろうという気持ちだけ。
実年齢は単なる数字。それに惑わされるのはつまらない。年をとることを楽しめたなら、女性はもっと美しくなれる。

赤い口紅が似合う80代が最終目標

マリア・カラスとジャクリーン・ケネディ・オナシスが好き。ふたりとも孤独ではあったけれど、自分の人生をしっかり持っていた。よきにつけ、悪しきにつけ、傲慢さと弱さを兼ね備えた彼女たちの生きっぷりが面白く、俄然、興味を持ったのだ。
女優ではジャンヌ・モロー。私は彼女の年のとり方が好きだ。すごくシワがあるのに気にせず、堂々としている。あるがままの自分を磨いている感じ。そして何より、赤い口紅が似合うことに惹かれる。
私は口紅に、「唐紅花（からくれない）」という名の真っ赤な一本を加えた。シンボルでも憧れの対象でもなく、すべての女性が目指すべき最終目標として。
赤にふさわしい自分に到達したとき、この色は女性をとことん美しく見せてくれる。生き方や考え方などすべてのものから贅肉を削ぎ落とし、きれいに年をとった70代、80代に似合う色とも言える。洗練や粋だけを残し、シンプルに生きる年齢にこそ、赤は映える。
赤い口紅が似合う80代——。それは私の最終目標でもある。

しまない〝天才〟を裏切った田中宥久子という人

文＝齋藤　薫

美容ジャーナリスト

今この時代に、まったくゼロからスタートする新ブランドが、いきなり大成功をおさめること自体が奇跡。それがこのＳＵＱＱＵは、百貨店でいきなりの売り上げトップや出店ラッシュなど数々の記録を塗り替える、異例も異例の大成功をおさめてしまった。

だから業界では今あちこちでこんな分析が盛んだ。「ＳＵＱＱＵはなぜ成功したのか？」もちろん成功要因はたくさんある。徹底したＰＲ、マーケティング、商品のすばらしさ……しかし最大の成功要因、それはやはり田中宥久子さん自身だろう。

「ともかくこのお話があった時、〝あ、来た〟と思いました。運命的なものを感じたんです」

もちろん具体的な予感があったわけではない。ただ、ファンデーションひとつとっても、市場に自分が納得できるものはなく、自分なりの工夫を加えて使いながら、なんでみんなこんな簡単なことに気づかないのだろうと思っていた。いつかその〝真実〟を形にできたらという漠然とした思いはあったという。

「だから化粧品づくりには一切迷いませんでした。だってすべて答えがあったんですから」

しかし、迷いがない分、その〝答え〟が〝理解されるのか？〟という不安はあった。ＳＵＱＱＵデビューの時の広告コピーをご存知だろうか？「裏切りもの、ＳＵＱＱＵ」である。田中宥久子の提案は、化粧品における不動とも思えた常識を、ことごとく裏切るものだったのだ。かと言って、自分が常識を変えてやろうなどという自負があったわけでもない。自分にとっての〝真実〟を、〝必然〟を、そっくり形にしただけ……。でも、デビュー直後からの反響に、たちまち自由になれたとも言う。

「降りてくるんです。テーマも色も、そして理論も……。その降りてくる感じがどんどん強くなる気がしています。どちらにしても自分ひとりの力ではない。いろんな人に守られて押されて生きていて、だから今この役割をまっとうしなきゃいけないと思うんです」

時代の流れを変えるような成功者は、みな

Column no.1

text by **Kaoru Saito**

努力を惜
常識

同じことを言う。「降りてくる……」と。つまりそういう人は、偉業を成し遂げるために神に選ばれた人なのだろう。〝運命〟に導かれるよりもっと強い〝何かの力〟、言ってみれば〝神の啓示〟のようなものに動かされ、高められて、人知を超えるような仕事をしてしまう人がまれに現れるのである。

「小さい頃、祖母に〝あなたは普通の人じゃない〟って言われて。強烈な記憶です。祖母はあの時代に美容学校をチェーンで経営したり、当時の不幸な女性たち、たとえば売られる女性や結核にかかった女性を引き取って、手に職を持たせてあげるようなひとでした。だから私はいくら何かをやり遂げても、〝私なんかまだまだ〟と思ってしまう……」

そういう偉大な目標を生まれながらに、とても身近に持ったことも、この人の成功を大きく後押ししたはずである。

何かしなきゃいけない 強い使命感があった

しかし、SUQQU立ち上げの依頼を受けるのは、50代になってから。逡巡はなかったのだろうか。

「話を持ってきてくれた方がこう言いました。〝田中さんにとっていいことなのか、悪いことなのかわからない。人生変わりますよ〟って。私は裏方でヘアメイクとして静かに暮らしていたわけで、それで十分生きていける。しかも自分には何かを成し遂げたいという野望も物欲もなかった。ただ、何かしなきゃいけない使命感みたいなものがあっただけ」

しかも当初、自分は絶対に表に出たくない。商品を作るだけ……そう言い張ったという。

「でもそんな時、スーパーで〝このジャガイモは私が作りました〟という生産者の顔写真が貼ってあるのを見て、そうか商品を作るなら責任も持たなきゃいけないんだと思い直して」

人が何かを成し遂げる時、ふと後ろをふり返ると、自分の過去がことごとく今につながっていることに気づくという。この人が映像メイクアップの世界で人並み外れたキャリアを積んできたのも、〝SUQQUのため〟かも

Column no.1

text by **Kaoru Saito**

齋藤 薫 プロフィール

女性誌編集者を経て美容ジャーナリストへ。美容記事の企画、
化粧品の開発・アドバイザーなど幅広く活躍。
著書『こころを凜とする196の言葉』(ソニーマガジンズ)、
『素敵になる52の〝気づき〟』(講談社文庫)など多数。自ら主宰のWebサイト
「WOMAN BEAUTY COLLEGE」(http://www.saito-kaoru.com)も好評。

しれないと言ったら、映画界に叱られるだろうか。

映画やドラマの仕事は、台本に基づき、さまざまな境遇でさまざまに生きる生身の人間をメイクで作りあげるもの。おそらく人生と顔、人生と人の美醜をここまで濃密に結びつける仕事はないわけで、その〝第一人者〟としてのキャリアと実力が、類まれな超実践の造顔＝田中メソッドを生んだのだ。そしてまた未だ解き明かされなかった〝造顔〟の定義をひとつひとつ明快な言葉にして、ダイレクトに伝えることができたのも、この人がたくさんの言葉を持っていたからに他ならない。それも映画の仕事で、台本の行間までを読みこんできた結果なのではないか。だから、テクニックを広く伝えるだけでなく、SUQQUは女の気持ち自体を動かせるのである。

SUQQUを通して何がしたいですか？という質問に対して、この人はこう言った。

「女の人を自由にすること。女性の立場は確かにもう昔とは違う。違うけれど、女性にはまだ被害者意識があります。そこから女性を完全に解き放ちたいんです。美しくなる自由があることを教えたいんです。けれど私は、自分の感性を押しつけるのは大嫌い。相手が求めることにパーフェクトに応えたい。それが私の原点。だからキレイになりたい女性たちをキレイにする、そういう責任を果たしたいんです」

発売1週間前にビューラーの金属部のカーブが1㎜違うことに気づいてストップをかけた。破棄してくださいと。苦渋の決断だった。しかしキレイになりたい女性たちをだませない。100％応えるとはそういうこと……。

最後に〝この成功をどう思うか〟を聞いた。

「成功したかどうかは死ぬ時までわかりません。だから今、成功したとは思っていない。それどころかやればやるほど怖くなります。やるべきことがどんどん見えてくるから」

成功者は現状に満足しないから成功者であり続ける。天才は努力を惜しまないから、天才であり続けるのである。

Beauty Artisan
Yukuko Tanaka
Method

第2章

実践! 造顔テクニックI

顔筋マッサージで即効「小顔」

女優の顔が小さくなったマッサージ

ヘアメイク・アーティストとして、映像の撮影現場を飛び回っていた私は、あるとき女優の顔に触れていて、顔にも「凝り」があることを発見する。

肌の奥には肩凝りのように硬直した筋肉があり、身体と同様に脂肪の塊が存在することもわかった。「こんなものがあったら、肌が老化して見えるのは当たり前」と思った私は、それ以来、肌そのものよりももっと深いところにあるトラブル、筋肉というものに俄然興味を持ったのだ。そのときから研究と実験を続け、即効性を得ることに長い年月を費やした。

人間の顔は、骨の上に筋肉があり、脂肪、血管、リンパが通っている。だから土台となる筋肉が硬くなれば、リンパや血液の流れが滞り、老廃物が溜まって脂肪も増える。逆に言えば、筋肉をほぐせば、すべてがしなやかに機能し始めるのだ。結果、顔立ちや肌質が変わってくるのは、考えてみれば当然のこと。

そしてあらゆる方法を試した末、筋肉に圧力をかけることで数年前の肌を取り戻せ、小顔になれる、「顔筋マッサージ」が完成したのである。

メイク前の女優に顔筋マッサージを施してみた。すると、確実に肌が輝きだし、顔が小さくなるのが誰の目にもわかった。それ以来、女優や俳優はいつもより早く現場に現れ、メイク前のステップとして私のマッサージのために時間をとってくれるようになった。

私はこれまでにも、世界各地でフェイシャル・マッサージを受けていたが、ずいぶん前にイギリスで受けたマッサージは格別に痛かった。そのときのエステティシャンによれば「ひどく顔が凝っている」とのこと。まさに骨がくだけるほどの痛みをこらえ、這うようにしてホテルのベッドに倒れ込んだのを覚えている。ところが翌朝、鏡を見て驚愕した。顔が「別人」のようにスッキリとしている……。

このとき確信した。「顔が凝るという発想は間違っていなかった」と。同時に、いくら正しくてもここまで痛いのはダメ、痛いマッサージはストレスになることを知った。

マッサージはスキンケアの一部

29歳のとき。数十万円を注ぎ込んで、ある有名ブランドの化粧品を買い込んだ。ところが、栄養分が豊富なその化粧品をたくさん使い続けると、肌はハリを失い、目元には無数の小じわが。

そんな苦い経験があるから、自分で化粧品をプロデュースすることになったとき、スキンケアを、できるだけシンプルにしたいと考えた。

たるみもシワもくすみも、すべては筋肉レベルへのアプローチで解決できることは、すでに自らが考案した「顔筋マッサージ」で実証されている。

つまりこのマッサージそのものが、スキンケアの一部になっているということ。だとしたら基礎化粧品は、加齢とともに目減りする水分の補給に重点をおけばいい。そう認識したのである。だからローションとエマルジョンは、「保湿と肌への浸透力」に徹底的にこだわっている。HAコンプレックス、ヒアルロン酸を中心とした、豊潤な潤いが特徴だ。マッサージに続いて、一日中キープできる保湿と潤いを与えればスキンケアは終了——。それが田中メソッドの考え方。ある意味、純度の高い保湿を作り上げることは、シンプルだけど特別なことかもしれない。

現代の女性の多くは、仕事に、家事に忙しい。とりわけ朝は戦争だ。そのためつい肌の手入れをサボりがち。そしてそれを補うように、夜はパックをしたり、美容液を塗ったりと、張り切る。たしかに、肌の再生を助ける夜のお手入れは大切。でも、夜は「睡眠」という肌の栄養となる強い味方もついている。でも朝は、長い一日の始まり。スキンケアで肌への栄養を意識的にとらなければ、味方はいない。私は朝、きちんと肌をケアして、一日中美しくいられるほうがうれしい。朝、起きたときについている寝ぐせ、眉間のシワをマッサージで取ると、肌が瞬時に生まれ変わる。そのほうが、人は生き生きと生きていける。

効果は12時間持続。だから朝は必ず

ところで美容の世界では、顔のマッサージは「力を入れてはいけない」というのが常識。たとえプロのいるエステでも、顔のマッサージを受けた結果、顔はほてって赤くなり、メ

イクがのらなくなってしまう人も少なくない。

ところが、強い圧力をかけて行う顔筋マッサージは、適量のクリームさえ塗っておけば、まったく「赤み」を帯びない。なぜか——。

それは「圧力をかける」動作がメインだから。肌は摩擦が起きれば赤くなるが、圧力をかけてマッサージを行うと、透明感が出る。もちろん、そのまますぐにメイクができる。

だから、一日2回は無理でも、朝だけは必ず顔筋マッサージを取り入れてほしい。そうすれば小顔になるだけでなく、スキンケア効果によって格段にメイクのノリがよくなる。まさにこのマッサージの「肌整形」効果を、最大限に享受することができるのである。

しかも、このマッサージは驚くほど持続性が高い。1回のマッサージで約12時間、長い人なら2～3日は小顔が続く。だから、家を出たら帰宅するまでが小顔。しかもマッサージ直後よりも1～2時間後、そう、ちょうど会社に着く頃や人と会う頃に、効果のピークを迎えるのである。

女性はときに顔に刻まれた年輪をほめるべく、「お顔のシワが素敵ですね」といった言葉を使う場合がある。たしかに、その人の人生をそこに読みとれるような「大じわ」には感服する。しかし、私は小じわは許さない。ほんのひと手間をかければ、消すことも、つくるのを止めることもできるからだ。

顔筋マッサージをぜひ続けてみてほしい。毎日続ければ、「7年前の顔」はすぐに自分の顔になる。年をとることを恐れる必要はないのである。

Beauty Artisan
Yukuko Tanaka
Method
Technique 1

わずか3分間で奇跡の造顔はできる

顔筋マッサージ

MASSAGE

くすみ、シワ、たるみ、カサつき、毛穴の汚れ……。
女性が抱えるあらゆる肌の悩みを一気に解決し、
たったの3分間で、ツルツルの小顔をつくる顔筋マッサージ。
道具をいっさい使わず、自分の手だけで行えるこのマッサージは、
11のステップさえ覚えてしまえば、いつでもどこでも実践可能。
「善は急げ！」で、さっそく今晩からでも始めてみよう。
ただしマッサージを行う際には、いくつかの留意点が。
まず、マッサージクリームの適量を守ること。
そして肌を強く擦らない。すべては表皮に負担をかけないためだ。
この顔筋マッサージは「圧力をかける」というもの。
ある程度の力を入れて「押す」、「引き上げる」動作が中心となる。
表皮は「なでる」ぐらいの感覚で。
タイミングとしては朝晩の2回行うのが理想。
とくに朝行えば、メイクのノリが格段によくなり、
帰宅するまで「ツルツル小顔」効果は続く。
そして数週間も継続すれば、確実に顔立ちが違ってくるのだ。

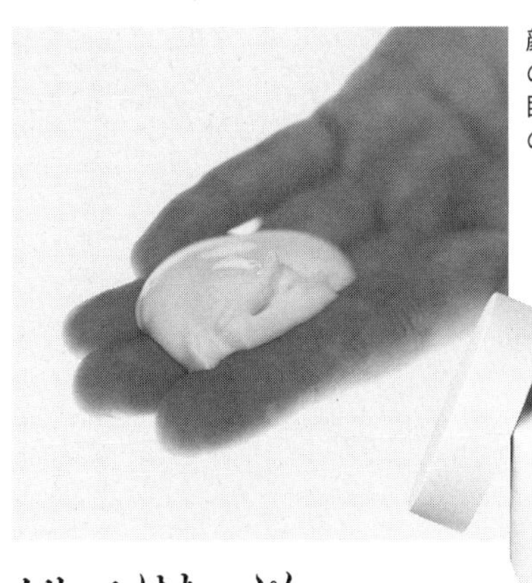

顔筋マッサージを行うときに、クッションの役目を果たすのがマッサージクリーム。巨峰１粒大を目安に手にとり、まぶたと口のまわりを除いてのばしていく。

SUQQU マスキュレイト
マッサージ クリーム

クリームはたっぷり塗って、摩擦を防ぐ

クリームは、たっぷりと塗るのがポイント。これにより表皮の摩擦を防ぎ、圧力をかけても顔が赤くならない。SUQQUのマッサージクリームは硬め。ゆるすぎたり油分が多いと、圧力をかけたとき、滑りやすいので危険。硬めのクリームなら引っかかりがよいので安心だ。

step.: 1

額のむくみを取って波打つ横じわ、眉間のシワを消す

ふだんはさほど意識しないかもしれないが、目や頬と同様に
額だってむくんでいるし、凝っている。だから横じわが波打つように寄り、
眉間のシワも、深くくっきりと刻まれるのだ。
とくに眉間のシワは、寝ている間にできることが多いもの。
「10年かけてできたシワは、取るのに10年かかる」と言われるが、
寝ている間の数時間でできたシワは、起きてすぐに伸ばせば回復も早い。
女性の顔は外出から帰ってきた夜よりも、実は朝のほうが疲れている。
だから、朝の顔筋マッサージは必要不可欠。
さて、顔筋マッサージはその額を「整地」することからスタート。
額の中央からこめかみへ向かって、ある程度の力を入れて指圧をし、
ポンピングの要領で、老廃物を外へ外へと押し流していく。
これにより、むくみと凝りを取りながら同時にシワを伸ばすことができ、
凹凸のあった山がフラットな丘に。軽やかな額は知性さえ感じさせる。

最初に額の中央を指３本（人差し指、中指、薬指）でギュッと強めに押し、そのまま３本の指を左右に少しずつ間隔をあけながらプッシュしていく。

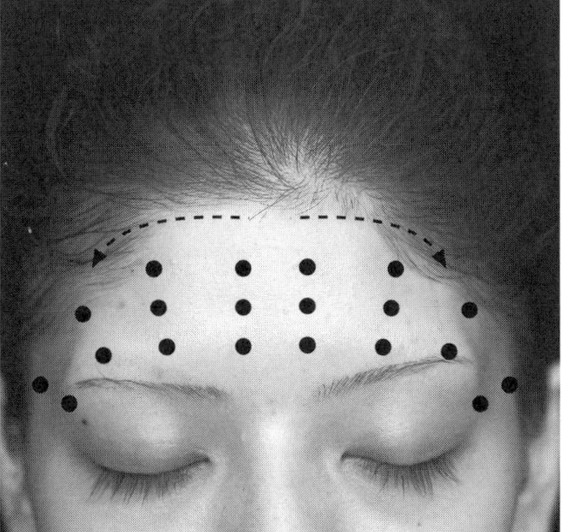

プッシュするのは、中央からこめかみに向けて、全４ヵ所。３～４ヵ所目は、中指と薬指の２本で行う。最後のこめかみ部分は、やや弱めに。この流れを３～４回。

step.: 2

目のまわりの循環をよくする。それだけで目は大きくなる

次は目元のマッサージ。目のまわりに溜まった老廃物を押し流して血行を促す。
目元をスッキリとさせる効果があるので、顔がむくみやすい人や、
はれぼったいまぶたが気になるという人にはとくにおすすめ。
目がひと回り大きくなるという感動が味わえるはず。
ただし目のまわりは皮膚が薄くてデリケート。ここでは肩の力を抜いて
リラックスしながらマッサージをするのがポイントだ。
目元は、目を取り囲むようにドーナツ状に筋肉が走っている。
だからグルリと円を描くように、やさしく指を滑らせていくこと。
最後に眉間を経由し、こめかみからフェイスラインに沿って
指を移動させれば、老廃物がリンパに乗ってスムーズに流れ始め、
新陳代謝が活発に。新陳代謝が盛んになるとどうなるか。
目のまわりのむくみが取れるのはもちろん、血行がよくなって顔色が冴え、
肌も生き生きとし始める。少しずつ身体も温かくなるのがわかるはず。

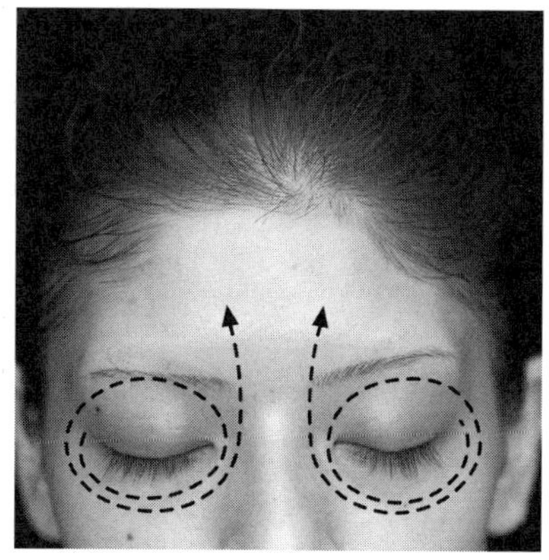

1.

中指の腹で目尻から下まぶたをなぞり、上まぶたを経由してからスタート地点の目尻に戻る。再び目尻から下まぶたを通り、今度は眉間まで指をもってくる。目のまわりでは力を入れず、なでるように、やさしく指を滑らせる。

2.

次に、2本の指（中指と薬指）を使って、眉間の上を軽くプッシュ。そのまま指を外側へと移動させたら、こめかみの位置でキュッと押さえる。

3.

ゆっくりとこめかみを押したら、そのまま指を下へ滑らせ、耳の前を通って圧力をかけ、フェイスラインに沿って滑らせていく。溜まった老廃物を押し流していく感じで。ここまでの流れを1セットとして3～4回。

step.: 3

口まわりの筋肉を強化。口角の下がりや小じわをなくす

だらしなく下がった口角や、口元の小じわは老化を際立たせるもの。
でも日々頻繁に動かす口のまわりは、トラブルが多発しやすいのも事実だ。
それだけに、土台のしっかりした口元をつくっておく必要がある。
だから口のまわりのマッサージも、筋肉レベルに働きかける。
土台を強化することで、シワが寄りにくく、下垂しにくい口元に。
気がつけば、口角の上がった凛々しい表情が生まれているはずだ。
それが顔筋マッサージの、3番目のステップ。
目と同様に、この部分も口を取り囲むようにドーナツ状に
筋肉が走っているため、円を意識してマッサージするのがポイント。
そして、とかく縒(よ)れやすいゾーンだから「押す」動作が基本となる。
1日2回、ある程度の力を入れてグッと口のまわりの筋肉を刺激。
そうすれば、ちょっとやそっとじゃくずれない安定した口元が完成する。
それだけでも、3歳は若く見えるだろう。

中指と薬指を揃えてあごの上に当て、あごの中央をやや強めに圧迫する。うまく力が入れられない場合は、指の腹で歯茎を押すようなつもりで行うとやりやすくなる。

1.

2.

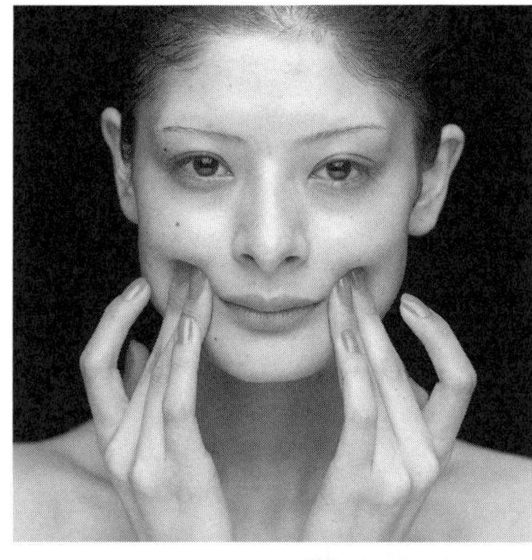

そのままの指で、口角の真横を強めにプッシュ。このとき、あまり上に引き上げると口のまわりにシワが寄りやすいので注意。引き上げるのではなく、歯に当たるくらい垂直に圧力をかける。

次に同じ指で鼻下を強めにプッシュ。そのあと再び口角の脇、あごの中央へと移動し、口のまわりの筋肉に圧力をかける。移動時は、肌から指を離すこと。この流れを１セットとして３～４回。

3.

step.: 4

小鼻の汚れを奥から浮かせて垢抜けた顔へ

皮脂が溜まって毛穴が黒ずんだり、逆に乾燥して赤くなったり。
小鼻のまわりは年中落ち着くことがない。なのに目や口のまわりと違って、
手入れをサボってしまいがちな部分。でも本当のことを言えば、
こういう場所にこそ、その人の品性が出る。いくら肌がきれいな人でも、
小鼻が赤かったり皮がむけていたら、印象は台無し。
逆にこの部分がスッキリすると、どこか垢抜けた表情に。
だから顔筋マッサージの段階で、きれいに整えておくことが重要なのだ。
4番目のステップは、マッサージクリームの力を借りて
小鼻の毛穴に詰まった汚れを浮かせつつ、潤いを与える作業。
指の腹を使って、ごくソフトに小鼻の溝をマッサージするだけだが、
指紋の繊細な凹凸が皮膚にほどよくフィットして、
細かい部分の汚れを、奥から丁寧にかき出してくれる。
こうして小鼻の溝から黒ずみや赤みが消えれば、間違いなく肌年齢は若返る。

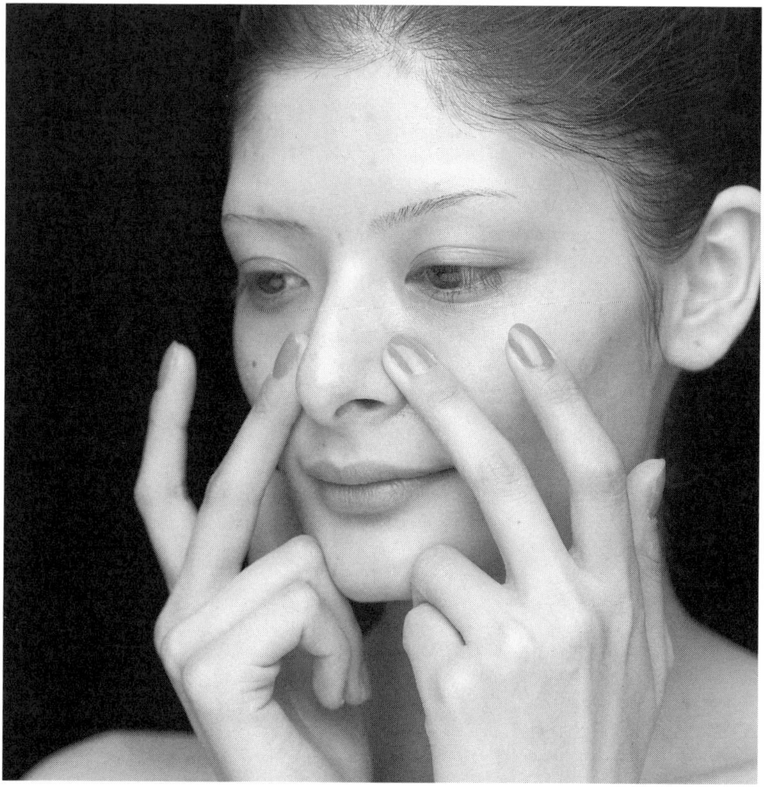

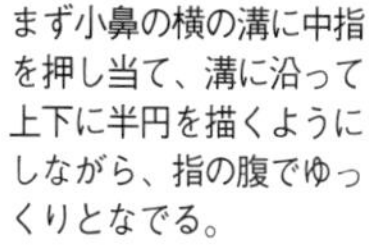

まず小鼻の横の溝に中指を押し当て、溝に沿って上下に半円を描くようにしながら、指の腹でゆっくりとなでる。

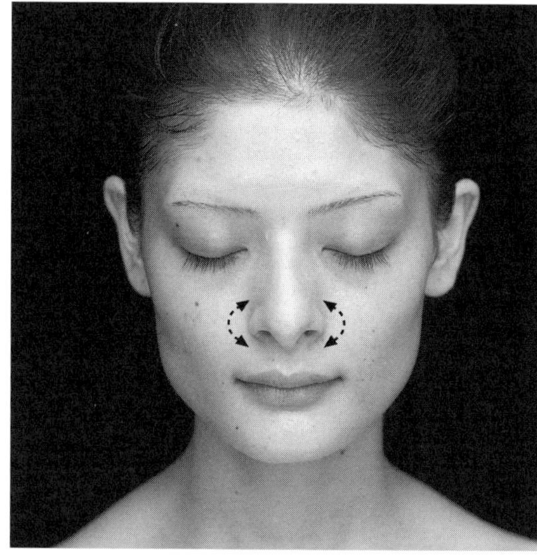

ポイントはあまり力を入れずに、汚れを浮き上がらせる意識で行うこと。マッサージクリームを塗っているので、指の腹でそっとなでるだけでも汚れは浮き上がる。往復15〜17回を目安に。

step.: 5

下から上へ頬を一気に持ち上げ、たるみ防止

なぜ顔の下半分に年齢が出るのかというと、頬が下垂しやすいから。
頬の大部分には骨がない。つまり筋肉や脂肪を支える軸がないため、
よりどころをなくした肉が、重力にまかせてズルズルと下がってくるのである。
頬が下がれば目尻や口元も下がる、さらには
フェイスラインさえ変わってくる。負の連鎖反応が起きてしまうのだ。
だから早めに手を打っておかなければならない。
それが5番目のステップ。頬のリフトアップのためのマッサージである。
ここでは3本の指で、重力に逆らって頬全体を思い切り引き上げる。
「人に見られたら恥ずかしい」ぐらいの表情をつくるのが正解だ。
引き上げたら指を顔の側面に移動させ、そのままあごへと滑らせていく。
これを繰り返すことで頬の下垂を防止し、さらに老廃物を
リンパへ流し込むことで、頬がひと回り小さくなる。
「うまく力が入らない」という人は、上半身をやや前に傾けると〝圧〟がかけやすい。

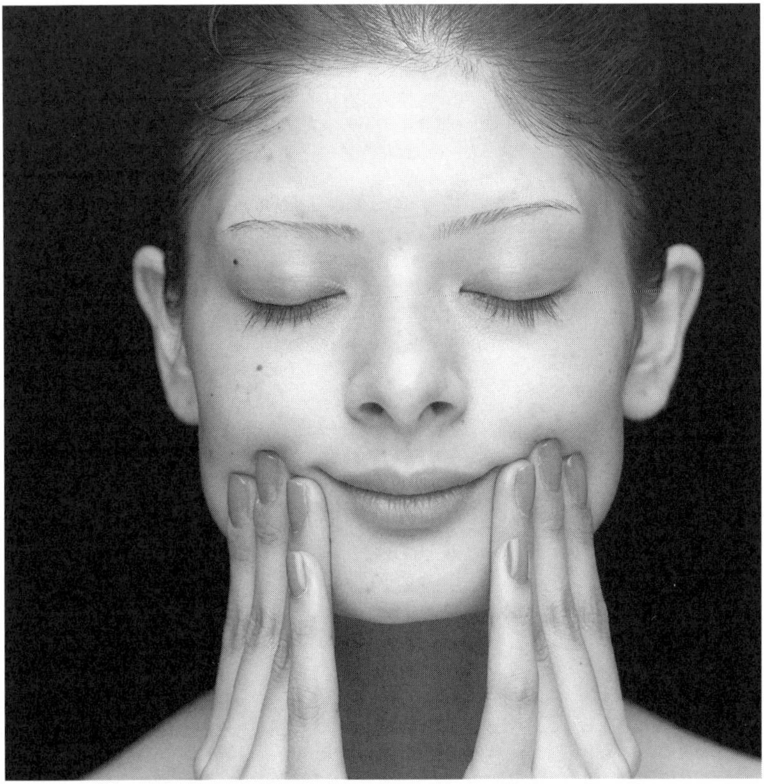

3本の指（人差し指、中指、薬指）を使い、口角の横から目の下に向かって、頬に強く圧力をかけながら持ち上げていく。その際、ほうれい線の内側まで指で覆うことが大事。ほうれい線も伸ばすように意識したい。

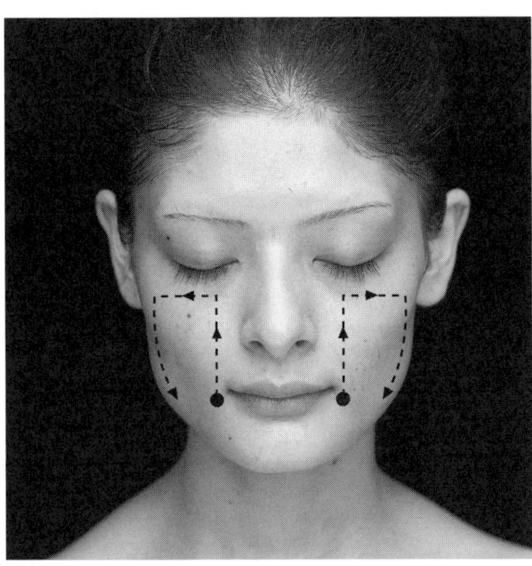

頬を持ち上げるときは、目を開けていられないくらい、下まぶたを押し上げるつもりでギュッと持ち上げる。次に下まぶたを通り、指を耳に向かって真横に滑らせたあと、フェイスラインをなぞってあごへと下ろす。この動きを3～4回。

step.: 6

シワを伸ばしながら、いいクセを記憶させる

6番目のステップは「引き上げ」と「修正」のためのマッサージ。
ステップ5で、かなりの圧力をかけて頬をリフトアップするため、
なかには鼻の横や頬に、うっすらとスジがついてしまう人も。
この時点でそれを修正しておくために、肌のストレッチを行う。
基本の動作はスタート地点を鼻の脇、ゴールをこめかみと定め、
3本の指(人差し指、中指、薬指)を使って
内側から外側へと頬を吊り上げるようにしながら、
指を滑らせること。これによって、
できてしまった悪いクセを忘れさせるのはもちろんのこと、
頬のリフトアップも行える。ハリのある肌、ピンと上を向いた頬。
理想のビジュアルを思い描いたら、
いいクセだけを肌にインプットしていく。
そうすれば顔は確実に変わる。造顔はそんなに難しいことではないのだ。

ステップ5で鼻の脇や頬骨の上に寄ったクセを、消すためのマッサージ。指の広い面を使って、頬の上部を外側に向けてストレッチ。そのとき、頬をやや持ち上げることで、リフトアップ効果も得られる。

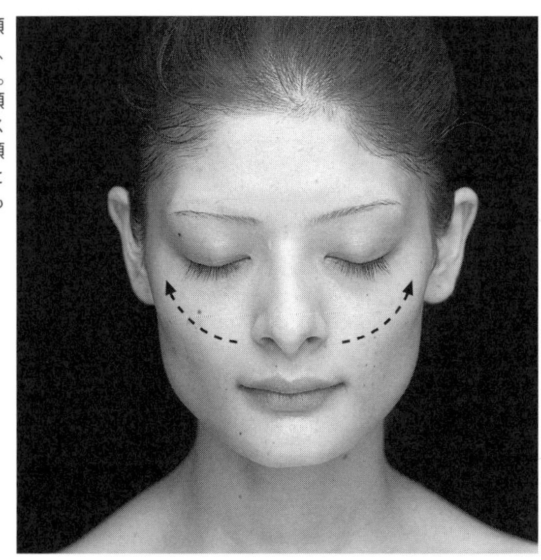

小鼻の横に手を置き、こめかみのほうに向かって滑らせる。筋肉を外側、外側に引っ張るようなつもりで。この動きを3～4回。

step.: 7

フェイスラインの凝りをほぐせば面立ちが変わる

「顔の凝り」といっても、ピンとこないかもしれないが、
しゃべる機会の多い人や肩が凝りやすい人は、必ずといっていいほど
顔の筋肉も凝っている。筋肉が凝り固まるとどうなるか。
血行が悪くなり、さらには老廃物が流れにくくなっていくのだ。
7番目のステップは、フェイスラインの凝りを取って代謝をよくし、
さらには血行を促すことで、シャープで生き生きとした
「小顔」をつくっていくというもの。方法はいたって簡単。
中指と薬指の2本を使い、小さならせんを描くように指を動かしながら、
あごから耳のほうへ向かって、フェイスラインの筋肉を
もみほぐしていく。左右片方ずつじっくりともみほぐすうちに、
硬くなっていた筋肉がほぐれ、次第に弾力を取り戻していくのが実感できる。
またリンパの流れや血行がよくなることで、肌はほのかなピンク色に。
やせこけた顔ではない、健康的な小顔が少しずつ姿を見せ始める。

2本の指（中指、薬指）を揃えてプッシュしながら細かくらせんを描く。指は下から上へ円を描くこと。そのあとは、フェイスラインに沿ってあごへと指を滑らせる。反対側の手であごを固定するとやりやすい。大きくらせんを描くと肌を擦ることになり、赤くなるので注意。

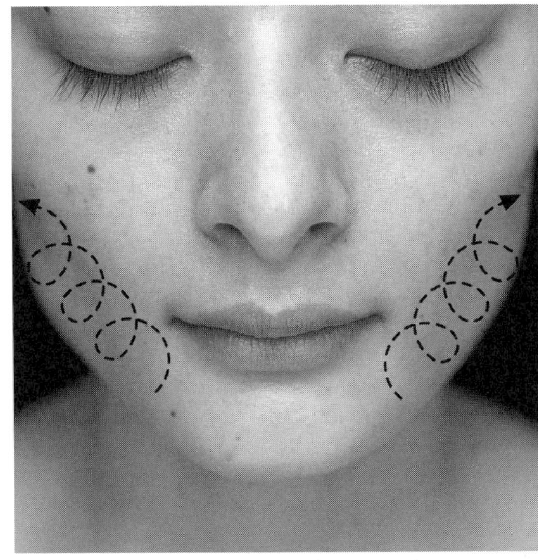

あごの骨の上から耳のほうに向かって、圧力をかけていく。凝っている人は痛いので、「イタ気持ちいい」を目安に。続けると、ここに潜む〝グリグリ〟が散って消え去ることがわかる。左右1セットとして3〜4回。慣れてきたら10〜15回。

step.: 8

ほぐれた脂肪を散らして あごのラインを整える

重力をそのまま受け入れてしまえば、年齢とともに
顔のあちこちがたるむ。
そして最終的にたるみをわかりやすい姿で露呈してしまうのが、
あごから耳にかけてもたついてくる
フェイスラインではないだろうか。
その「勝負ライン」を整えるのが、ここでの目的。
ステップ7で、すでにフェイスラインの凝りをほぐしているので、
そのままゆるんだ脂肪を散らして、あごのラインを整えていく。
基本の動作は人差し指をあごの上、中指と薬指をあごの下に置き、
双方であごを挟むようにして、耳の下までしっかりと引き上げる。
とくに骨格に触れる中指に意識を集中させ、あごのラインを指で
確かめながら、むくみやたるみを耳の下に集めてリンパに流すのがコツ。
あごの下のたるみや、フェイスラインのもたつきがスッキリすれば
顔の印象はぐっとスリムに。とくに横顔に自信が持てるようになる。

人差し指と中指、薬指であごを挟み、あごの中心から耳の下に向かって引き上げる。フェイスラインをなぞるのではなく、ある程度の力を入れ、指先で脂肪を移動させるつもりで。その際、肘を高く上げて行うと力が入りやすい。左右1セットで3〜4回。

step.: 9

埋もれていた頬骨を引き出せばメリハリある顔に

頬骨の下は、もっとも脂肪が滞りやすい場所。
頬骨にしっかりと指を引っかけ、
ある程度の力を込めてリフトアップをしながら、
溜まった脂肪を散らしていくのが、9番目のステップである。
この部分でもたついていた脂肪が姿を消せば、埋もれていた
頬骨がくっきりと浮かび上がる。
まるで強力なガードルでヒップアップをしたときのように、
トップの位置が数センチ上へと移動。すなわち頬が高く見える。
さらに頬骨が高くなることで顔全体に高低差ができ、
日本人の平面的な顔にも、しっかりとしたメリハリが誕生。
たとえば朝のマッサージで、こうした均整のとれた土台をつくれば、
そのあとに続く、アイメイクやチークがぐっと際立つのは明白だ。
顔筋マッサージは、メイクの前の基礎工事でもある。

小鼻に続いて２本の指（中指、薬指）を置くのは、頬骨の下の一番へこんでいる部分。上に引き上げるときは、添えた手のほうに首を傾けると力が入りやすい。反対側の頬も同様に。左右１セットで３〜４回。

小鼻の横を２本の指（中指、薬指）で軽くプッシュして少し引き上げる。次に頬骨の下のくぼみに中指と薬指の腹を置き、頬骨をゆっくりと引き上げる。そしてそのまま圧力をかけながら、耳のほうへと指を滑らせる。

爪を伸ばしている人はこちらの方法で。人差し指を親指で支え、親指で突き上げるようにして、小鼻の横、頬骨の下をプッシュする。力が入れづらい場合は、テーブルに肘をつき、手の位置を固定させて。

step.: 10

いい記憶を定着させるためのクールダウン

いよいよ顔筋マッサージの整理体操へ。
まずは両手のひらを使って、鼻の横から耳の前に向かって
顔全体を引き上げ、「キツネ顔」をつくることからスタート。
広い面積で頬全体をなで上げ、さらに老廃物を完全に流しきることで、
肌のコンディションを、ベストな状態へと整えていく。
また、これを繰り返すことで、「いい記憶」を肌にインプット。
次は、指の腹で鼻の頭から鼻筋をなでて、眉間へと吊り上げるステップ。
ふだんあまり触れることのない鼻柱だが、軽く方向性をつけて
あげるだけで、鼻がすっと高く見えるようになるのである。
なお、顔筋マッサージは表皮への摩擦が少ないため、
この段階にきても肌が赤くなったり、ほてることがない。
だから、朝マッサージをしてもすぐにメイクをして、
気持ちよく外出することができるのである。

４本の指を揃えた広い面を使い、顔の中央からこめかみに向かって、顔全体の筋肉を引っ張り上げる。締めくくりとして、顔全体を軽く整えるつもりで気持ちよくストレッチ。この動きを2〜3回。

1.

2.

中指の腹を使い、鼻先から鼻筋を通って眉間までを軽くさする。両手の指で交互にさすり上げるのがポイント。左右１セットで３〜４回。

step.: 11

スタート地点に戻って
ダメ押しの肌リセット

再びスタート地点である額に戻って、マッサージを締めくくる。
まず最初に2本の指（中指、薬指）の腹で額の中央をギュッと押し、
左右に指を滑らせたら、そのままこめかみを軽く押してフィニッシュ。
額から始まって、目、口、フェイスライン、そして頬へと、
顔全体を網羅し、再び額へ戻るのが顔筋マッサージの流れ。
最後に額でダメ押しのケアをすることで、肌は完全にリセットされる。
さて、この段階までくると顔の上に塗ったマッサージクリームは
ほとんど皮膚に吸収されて姿を消す。
すべての工程を終えたら、ぬるま湯または水で濡らして
軽く絞ったスポンジクロスで、残ったクリームを丁寧に拭き取って。
さらに、コットンにとった拭き取り用化粧水で、肌を整える。
肌の汚れが取れて透明感も増すため、
顔のトーンが一段階明るくなっているのがはっきりとわかる。

中指と薬指を揃え、指の腹で額の中央をやや強めにプッシュし、そのままこめかみに向かってゆっくりと指を滑らせていく。これによって老廃物がさらに流れ出し、最後の肌浄化が完了する。

1.

2.

指をこめかみに向けてなでるようにして移動させたら、指の腹でこめかみを軽く押して、マッサージは終了。

Before

顔筋マッサージ直前の肌

••

の顔を比較

Beauty Artisan
Yukuko Tanaka
Method
Technique 1

健康的な雰囲気が漂う洗練された小顔に

わずか3分足らずのケアなのに、その前と後ではまったく顔が違うと評判の顔筋マッサージ。とくにモデルの女性の顔は細くて余計な肉がついていない。それどころか、「頬がやせすぎじゃない？」と撮影前にカメラマンが心配するほど。

ところが顔筋マッサージを終えたあととそれ以前では、明らかに顔が違う。一体、何が起きたのか。

マッサージ後は、以前と比べて輪郭がスッキリして、顔が小さくなった印象。さらに目が大きく見える。頬の位置が上がった。肌の透明感が増してツヤとハリが出た。その他、変化をあげればキリがな

After

顔筋マッサージ直後の肌

マッサージ前後

いほど。「これ以上、小顔になりようがない」と言っていたカメラマンも驚愕の声を上げる。マッサージ後の顔をひと言で表現すると、透明感のある洗練された小顔。健康的な雰囲気が漂い、やせてやつれるのではなく「整った」という表現がふさわしい。出るところは出て、収まるところは収まったグラマラスな顔立ちになった。

そして誰よりも驚いたのはモデル本人。「顔が軽くなったのがハッキリとわかる」とか。しかも、このマッサージはリンパの流れを促すため、時間が経つにつれて顔のシャープさが増していく。そして通常10〜12時間、人によって2〜3日は小顔が続くのである。

Beauty Artisan
Yukuko Tanaka
Method
Technique 1

すべての肌に「保湿」は必要

スキンケア

SKIN CARE

田中メソッドのスキンケアは、きわめてシンプル。
スキンケアの前に行う顔筋マッサージが
肌に充分なハリと弾力をもたらしてくれるからだ。
そのため基礎化粧品の役割は、「保湿」に絞り込んだ。
ただし、過剰なケアは肌の機能を低下させる原因に。
本当に必要なものだけを、少量ずつ重ねて層にする、
「ミルフィーユ使い」をおすすめしたい。
朝はマッサージを終えたら拭き取り用化粧水で仕上げ。
その後、ローションをコットンに含ませて顔全体に。
乾燥が気になる人は、コットンでエマルジョンをつけ、
さらにローションを手のひらに1滴とり、ハンドプレス。
最終仕上げはメイクの前の美容乳液で。
夜は美容乳液の代わりに、クリームをつければ、
ドライ肌の人でも潤いを持続できる。

HA コンプレックス配合のスキンケアで、徹底保湿

ローションやエマルジョンに配合される「HA コンプレックス」とは、角質層にとどまるヒアルロン酸と、肌の内側に入り込むアミノ酸の複合成分。上下からの挟み撃ちで、肌の奥の水分量を効果的に向上させる。

メイク前の美容乳液で化粧くずれを防ぐ

スキンケアの浸透性を高めるマッサージ後の拭き取り用化粧水と、メイクをくずれにくくするメイク前の美容乳液。ひと手間かけることで、メイクの仕上がりがまったく異なる結果に。

Column no.2

text by Masami Yoshida

顔筋マッサージはやっぱりすごい！

瞬時のリフトアップ力に驚愕

文＝吉田昌佐美

美容ジャーナリスト

これまでいろんな美容法に挑戦したけれど、ここまで本気で夢中になったのは初めて。田中さんの顔筋マッサージを最初に体験したのは2003年5月頃。「筋肉の凝りと脂肪の塊のゴロゴロを取ります」といきなりやられたマッサージはとにかく痛くて、すぐに気持ちいいものにはならなかったけれど、その効果はテキメンに出た。その夜、あるパーティーがあり、会う人会う人に「痩せた？」「今日すごくキレイ」と言われ続け、挙げ句の果てに「整形した？」「妊娠した？」とまで冷やかされ、自分の顔のあまりの変わりように改めて驚いたものだ。

その晩から毎日朝晩続けるようになり、3週間ほど経った頃から顔立ちや肌にめきめきと目に見える変化が。フェイスラインは下を向いても二重あごにならないほどすっきりとし、目尻の位置は上がるし、キメの粗さや毛穴もぐっと目立たなくなって……まさにやり続けた甲斐があった大成果。その評判!?から多くの雑誌の取材を受けることとなり、親しい編集者からは「コメントはいいから。ビフォー・アフターの顔写真を出せば充分わかる」と言われる始末。

ものぐさな私がここまで続けられるとは自分でも意外だが、結果が見えるからこそやめられない。もっと先を極めたくなる。そんな気持ちを支えているのがマッサージクリームだ。クリームのなめらかさと、クレイを思わせる密着感を持つ、とろーりとしたテクスチャーはズルズル滑らず、顔の奥の筋肉を的確に捉えることができる。ほかのものでも試したけれど、指が止まらず、力が逃げてしまう。これじゃなきゃ続かなかったし、逆にシワを作っていたかも。

特に気に入っているのは、マッサージ後のモチモチとした肌の感触。はね返すような弾力感が出て顔全体がパッと明るくなるし、何より肌の奥でじーんと効いている手応えがたまらない。1万円は確かに安くない。毎日続ける身としては徳用サイズが欲しいくらいだけど、きっちり結果を出している快挙。おばあちゃんになるまで絶対続けます！

吉田昌佐美プロフィール

雑誌『Grazia』など、女性誌を中心に活躍。美容全般にわたり詳しく、そのツボを押さえたわかりやすい表現には定評がある。

Beauty Artisan
Yukuko Tanaka
Method

第3章

実践! 造顔テクニックII
立体メイクで即効「美人」

もうひとつのファンデーション

肌に厚い膜をつくって、毛穴をふさいでしまうようなファンデーションの厚塗り。私はあの感触が昔からどうしても好きになれなかった。

だからいつも、少しの量で肌をきれいに見せてくれるファンデーションを探していた。そして20年前、パリで出会ったのが、ジョルジュ・スーラの点描画。私はこの作品をヒントにパリ中のメイク用具店を回り、色のパウダーをかき集めては実験を繰り返した。そして導き出したのがピンク、コーラル、イエロー、白、柔らかな紫、淡い青という6色。それらを混ぜるとベージュになることも、肌にのせるとスーラの点描画に見た肌を再現できることも、私はすべて映像の現場で実証し、それを自分のものにしてきた。

だから、ファンデーションを開発するにあたっても、迷わず「6色の粒子」しかないと思った。この6色が、光を吸収してしまう肌を反射させる肌へと変え、透き通った肌を生み出す。これを薄いフィルムを重ねるように、面でつけていくと、化粧膜が皮膚と一体化し、自然な皮膚感が生まれる。まさしく私が求めていた、「少量でもきれいに見せてくれるファンデーション」が誕生したのである。

しかし、肌に透明感は出せても、シミやくすみはどうするか。実をいうと、私はドーランのようにベッタリと肌について、明らかに皮膚感を変えてしまうコンシーラーというものに、長い間嫌悪感を抱いていた。加えて、赤みを取るという理由で誰もが使うグリーンのコントロールカラーも、「くすむのになぜ?」と、ずっと思っていた。
そういうものを一気に取り払って、もっと簡単に、そして確実に肌調整ができるものはつくれないか。その結果、誕生したのが、白とベージュという2色を重ね使いするスティック状のコンシーラーだ。
白いコンシーラーは、光を集める層を作る。撮影時の照明技師が使う「レフ板」の役割を果たしている。つまりファンデーションと同様に、「光を反射させる肌」をコンシーラーでも作ってしまおうというわけだ。
そのために大事なのは、肌に〝白い膜〟を残すこと。白を全体にぼかし込んでしまったり、ファンデーションで覆っては、光の屈折を弱めるため、レフ板の役割は果たせない。だから、あえて塗るのはプレスト パウダーのあと。プレスト パウダーをつけた上に白いコンシーラーを塗り、肌色に近いベージュを重ねて同時になじませればいい。そうすると、肌の上で白とベージュが混在する。よって光が反射する肌が誕生するわけだ。
田中メソッドのベースメイクにおけるコンシーラーの役割は、ファンデーションで得た透明感を損なうことなく肌の欠点をカバーし、より強力な透明感、立体感、カバー力を生み出すこと。そうなると、単なる「クマ隠し」のコンシーラーとは、別モノと考えるべきかもしれない。いわば、もうひとつのファンデーション、「シークレット・ファンデーション」なのである。

メイクは技術より道具

肌にカラフルな色をのせて、顔を装飾する。
多くの女性は、メイクをそんなふうに捉えているような気がする。だから、アイシャドウをチップでベタ塗りしたり、チークをたった一色で済ませてしまったり。
私がヘアメイクの仕事をする中で、女優や俳優に喜ばれるのは、決まって「してないようなメイク」を施したとき。「こんなに薄化粧なのに、きれい！」これが私にとっての最高の褒(ほ)め言葉になっている。
私が目指す究極のメイクは、「この人、きっと顔立ちそのものがきれいなんだろうな」と想像させるもの。だから私のメイクは「肌整形」と言われるのだと思う。
たとえば、はれぼったい目。目尻3分の1にダークな色をぼかすことで、目が引き締まり、顔立ちまでが変化する。リップは、口紅と異なる色のリップペンシルを使うことで、ふっくらとした立体感をつくり出す。また、多くの女性が敬遠しがちなチークは、3つのゾーンに分けてのせていく。そうすることで顔にメリハリが生まれ、小顔に見せることもできる。つまり色のトリックによって、顔の造作そのものを変えて見せること。それが「田中メソッド」のメイク理論だ。
ところで、平面的なものを立体的に見せるには、遠近感というものが必要になってくる。それを色だけで行うとしたら……。たとえば、水墨画を想像してみてほしい。墨一色で描かれているのに、真っ黒な部分もあれば、グレーに近い色を使った部分もある。つまり同じ色でも濃淡があるから、絵に臨場感が生まれるのである。

メイクにおいても同じ。薄い部分と濃い部分、前面に出てくる色と奥に収まる色の対比があって、初めて立体感が生まれる。すべてのトーンを均一にしてしまう「ベタ塗り」メイクから、目の錯覚による立体感というものは生まれ得ない。

だから私はポイントメイク、とりわけアイシャドウとチークにおいて、ゾーンごとに色を使い分けることと、グラデーションをかけることにこだわっている。

とはいえ、それを実現できるのが、技術を持ち得るプロだけでは意味がない。そこで、私は誰にでもグラデーションをつくれる「道具」にも着目した。

ヘアメイク・アーティストという職業柄、私は道具というものに並々ならぬ思いがある。「メイクは道具で決まる」と言い切ってしまうほど。だから、SUQQUの商品を開発するときにも、ここだけは絶対に譲れなかった。

ポイントメイクで使うブラシは、素材から柄の形状、さらに毛の長さにいたっては1ミリ単位で発注し、職人さんのもとへ足を運んで「一生モノ」と呼べる製品を生み出した。その際にもっとも重視したのが、「テクニックなしに、きれいなグラデーションをつくれるもの」。そして、「肌を絶対に傷つけない、毛先をカットしない手作りの毛質」。

その仕上がりには自信を持っている。

自然界からヒントをもらった色

毎朝2時間かけて、自宅の庭に咲き乱れる花に水をあげている。季節ごとに、また気候や時間によっても刻々と表情を変える植物を見ていると、私はこの上ない幸せを感じ、改めて地球に生かされていることを思う。そして、これらの花々が持つ、なんとも形容しがたい自然界の色に、大きなインスピレーションを受けるのである。

蜜柑茶（みかんちゃ）、萌山吹（もえやまぶき）、鳩羽鼠（はとばねず）、日向砂（ひなたずな）、柿渋（かきしぶ）、姫撫子（ひめなでしこ）……SUQQUの化粧品に存在するカラーは、その名前からもわかるとおり、すべて自然界から色のヒントをもらっている。

たとえば、どこにでもあるような「木」ひとつとっても、フランスの木とイギリスの木では違うし、日本の木と中国の木も違う。また鳥の黒い羽だって、パッと見れば黒でも、よく見れば、それぞれ微妙に色調が異なっていることに気付く。

つまり自然の中には、われわれが未だ知り得ない、顔料ではつくれない色がまだまだ存在するということ。そして、この自然界で人間は生かされている。だとすれば、自然がつくる色が人間に似合うのは当然。これは流行などとは無関係に、何百年たっても変わらぬ事実だ。

だから私は、毎年毎年、アイシャドウのカラーバリエーションを増やし続ける自信がある。それぐらい色の世界は奥深い。魅惑的であり、神秘的だ。

ところが、こんなにも素材が溢れているのに、これまでの化粧品には似たようなカラーしかなかった。しかも西洋人を基準にしたものばかり。パールが入ったものばかり。
確かに見た目はきれい。でも、化粧品は白い紙の上に塗るわけではない。そこには「肌色」というものが存在する。つまり、色のついているものの上に、さらに色を重ねるのだから、化粧品単体で見たときのカラーはあまりアテにならない。
結果、ファッション雑誌の外国人モデルがしているメイクをそのまま真似て、とんでもない色のアイシャドウをつけた女性が、街に溢れることになる。
私は三十数年、ヘアメイクの仕事を続けてきたが、いつも色のセレクトには苦労していた。なぜならば、欲しい色がなかったから。だからよく、手持ちのアイシャドウを一度割ってつぶし、粉体にしてから他の色とブレンドするという方法で、オリジナルのカラーをつくっていたのだ。
とりわけ、これまで無視され続けていたのが、東洋人の肌色。
われわれ東洋人の肌には、どんなに色が白い人でも「黄み」が混ざっている。でも、普段はそれを意識することがないし、化粧品を買うときだって誰も教えてはくれない。だから、色選びで失敗する。ＳＵＱＱＵの立ち上げに際して、何が何でも東洋人の肌に合った「色」をつくりたいと私が思ったのは、そんな背景があったからである。
そして誕生したのが、「ミカン色」をはじめとする和の色。確かに見た目はびっくりするような色。でも、これが黄みを帯びた肌を、美しく自然に彩る色なのである。
ここにきて、私はようやく「欲しかった色」を手に入れることができた。

もう厚塗りはしなくていい

ベース メイク

BASE MAKE UP

田中メソッドが追究する、ベース メイクの真髄は、
「薄づき」に尽きる。とはいえ、ただファンデーションを
薄く塗るというのではなく、プロテクター、ベース、
そしてリキッド ファンデーションにいたるまで、すべてを
肌に密着させるように面で塗り、薄く重ねていくのだ。
それだけで、まず化粧くずれを防ぐことができる。
ファンデーションとプレスト パウダーには、
淡く柔らかい色調の「6色の粒子」が点在している。
その粒子は通常の100倍以上と大きく、
毛穴に落ち込むことがないため、厚塗りしなくてすむ。
それも、ナチュラル メイクができる理由のひとつだ。
最後はWコンシーラーによる肌色調整で、ベース メイクは終了。
「ファンデーションは微粒子」、
「コンシーラーは、ファンデーションを塗る前」といった常識を、
あっさり裏切って作るベースは何とも美しく、頑丈なのである。

SUQQU
LIQUID FOUNDATION
CREAM FOUNDATION

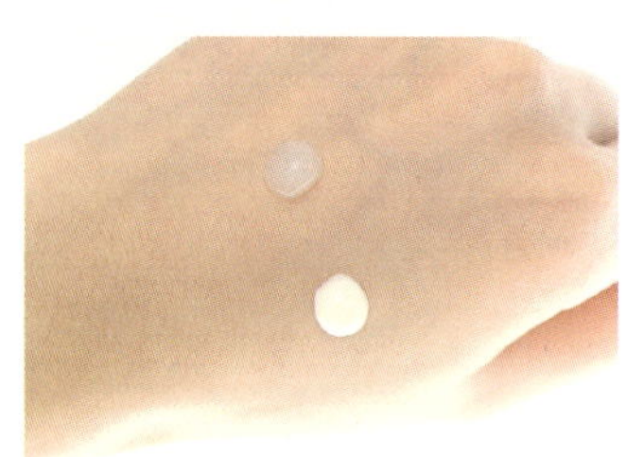

プロテクター、ベースの量

プロテクター、ベースともに適量は「あずき粒大」。それ以上つけてゆるくなると、化粧くずれの原因に。手の甲にとってから顔全体にのばす。

Base Make up

Technique

BASE

化粧下地

その秘訣は、肌の上で化粧品を遊ばせないこと

スキンケアを終えたら、プロテクターとベースによる
メイクの下地づくりからスタート。
ちなみにプロテクターとは、肌を紫外線から完璧に守るもの。
そしてベースは、リキッド ファンデーションのつきをよくして、
化粧くずれを防ぐという役目を持つ。
そのため、塗るのは必ずプロテクターから。
これらを塗るときのポイントは、
肌の上で、決して化粧品を「遊ばせない」こと。
量が多くて塗り方がゆるくなると、土台がぐらついて
メイクがくずれる原因に。肌にピタッと密着させるためには、
適量を守り、指の腹を使って丁寧に塗り込んでいくことが肝心。
こうしてプロテクターとベースを、肌の一部に取り込めば、
その後に続くリキッド ファンデーションの
のりやもちが格段によくなるのである。

内から外、下から上。
これが塗り方の基本

最初にプロテクターを塗り、次にベースを重ねる。塗り方はともに内から外、下から上へが鉄則。必要な分だけを手の甲から指先にとり、フィルムのように薄い膜を重ねていくつもりでのせていく。つけすぎたら指で取るぐらいがいい。

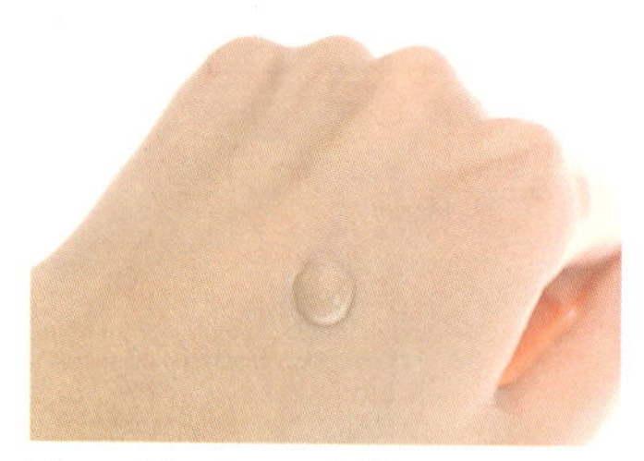

ファンデーションの量
「あずき粒大」のリキッド ファンデーションを手の甲にとり、指の腹を使って顔全体に薄くのばしていく。

Base
Make up
Technique
Liquid Foundation

リキッド ファンデーション

カバーするのではなく、新しい皮膚を作る意識で

「リキッド ファンデーションで、欠点をカバーしてしまおう」
この発想だけは、今すぐに捨ててほしい。
リキッド ファンデーションの厚塗りは、
かえってシワやくすみを際立たせて、
結果的に老けた印象をもたらすことに。
田中メソッドにおける、リキッド ファンデーションの目的は、
「一枚の新しい皮膚を作る」こと。
そのために「透明感」にこだわり、夕方になってもくすまない、
6色の粒子入りのファンデーションを
完成させたのである。さて、リキッド ファンデーションを
塗るときのポイントは、「面」でのばすこと。
指先でトントンと「点」で叩き込むと、肌の上に断層ができ、
化粧くずれのもと。だから、指の腹を使って一気にのばす。
ただそれだけのことなのに、肌は生き生きと輝き出すのである。

**断層を作らないよう
面で一気にのばす**

リキッド ファンデーションは、額、鼻、両頬、目のまわり、あごの順に少しずつのばし、最後は全体に一気にのばす。頬は内から外、下から上へ、指の腹を使って〝面〟でのばしていく。ファンデーションを５等分して最初に置く、「５点盛り」は厳禁。つけすぎの原因になる。

目元は指先に残った微量のファンデで

目元、口元、鼻のまわりはとくに、リキッドファンデーションを厚塗りすると老けた印象に。指先に残ったものを塗る程度にとどめる。目の下は筋肉の流れに沿って、外側から内側へ（目尻から目頭に）向かって指を滑らせる。片方の手でこめかみを外側に軽く引っ張って行うと、塗りやすい。

口元は唇の上下で塗り方を変える

口元も手に残ったリキッド ファンデーションをつければ充分。鼻の下は、唇に向かって縦に塗り、唇の下は左右に指をスライドさせながら、少量をのばしきる。

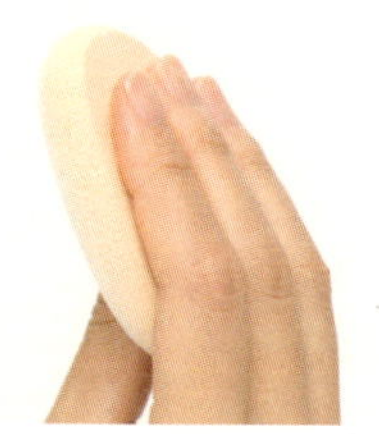

パフの正しい持ち方

パフは折ったりつぶしたりせず裏面に指をしっかり固定させて持ち、プレスト パウダーを広い面にとる。薄づきにしたいなら、パフの起毛面、カバー力を求めるなら、スポンジ面を利用。

Base Make up

Technique

Pressed Powder

プレスト パウダー

大きめ粒子のパウダーで「透明感」を極める

プレスト パウダーの役割は、
ファンデーションを肌に固定させること。
リキッド ファンデーションで「新しい皮膚」を作ったら、
それを定着させるために、プレスト パウダーで
薄くなじませていく。田中メソッドのベースメイク理論は、
薄い膜を重ねるほど、美しい化粧膜ができ、
それが皮膚そのものになっていくという考え方。
その役割を果たしているのが、点描画に見た6色の粒子。
だからプレスト パウダーにも、
リキッド ファンデーションと同様に6色の粒子が点在している。
ダブルの効果で、透明肌が持続し、毛穴が目立たなくなる。
しかも、カバー力の異なる2タイプから選ぶことができ、
スポンジ面を使えばしっかり、起毛面なら薄づきという具合に、
両面使いのパフによって仕上がりの微妙なニュアンスを
楽しむことができる。

頬の部分は、パフの広い面を使って内側から外側、下から上へ。肌の上を一気に滑らせるようにしてつけていく。パウダーのつけすぎは次のステップであるコンシーラーののびを悪くするので注意。

表と裏、面とエッジ。パフをフル活用する

細かい部分はパフの側面を利用。目頭はパフを縦に当てて、下から上へ。目の下はパフのエッジ部分を目の際に当て、目尻から目頭に向かってやさしく滑らせる。小鼻の横はパフを縦にして密着させる。

コンシーラーの分量
出す量は5ミリ程度に。SUQQUのコンシーラーは、全3色(ホワイト1種、ベージュ2種)。

Base
Make up
Technique
Concealer

コンシーラー

欠点隠しではなく第二のファンデーションと考える

「欠点隠し」というコンシーラーのネガティブな概念が嫌いだった。
そこで考えたのが「シークレット・ファンデーション」
とでも呼ぶべき、主役級のコンシーラー。
この発想の原点となっているのは、映像の現場で
照明技師が使う「レフ板」。この板で光を集めて
女優の顔に当てると、とたんに「反射する肌」となり、
シミもシワも白く飛ばしてしまう。
この原理をコンシーラーに持ち込んだのである。
だから田中メソッドのコンシーラーは、2本使いが基本。
つまり、光を集めるレフ板の役目をする「白」と、
肌の色調を整える「ベージュ」。この2本をプレスト パウダーを
つけた「あと」に、目の下の三角ゾーンを中心として広めに塗る。
頬に赤みがある人はその部分に塗るのもいい。顔の中心部分が
光を反射していれば、肌全体がきれいに見えるからだ。
とくに光を吸収しやすい東洋人の肌に、この2色使いは効果的だ。

まずコンシーラーのホワイトで、頬全体に3～4本のラインを引き、さらに小鼻を囲むように曲線を描く。その上から、ベージュのコンシーラーを重ねる。ベージュのコンシーラーは、ファンデーションの色に合わせて決めたい。

重ねた2色を、大胆な指使いでぼかしていく

片方の手で目尻を押さえて皮膚を固定しながら、重ねた2色を中指一本で同時に一気にぼかす。ザッザッと大胆な指使いで内から外、下から上へとなじませ、肌と一体化させる。目の下は目尻から目頭へ。

Before

コンシーラーをつける直前の肌

••つける前後の顔を比較

Beauty Artisan
Yukuko Tanaka
Method
Technique 2

くすみも赤みも消えて、肌が内から発光し始めた

欠点をカバーするだけでなく、第二のファンデーションとして、ベースメイクの仕上げに使うこともできる田中メソッドのコンシーラー。独特の2色使い（通称 Wコンシーラー）で、劇的な効果をもたらすと、発売以来SUQQUのベストセラーになっている商品である。

そのWコンシーラーを、リキッドファンデーションとプレストパウダーをつけ終え、すでに透明感のある肌に仕上がっているモデルの顔に施してみる。一体どんな効果が見られるのだろうか。

まず、コンシーラーを塗ったあ

After

コンシーラーをつけた直後の肌

コンシーラーを

との顔（写真左）を見ると、Wコンシーラーの「レフ板効果」で、マットな肌が、自然なツヤ肌に変化している。また鼻のまわりの赤みや部分的なくすみが消えて、垢抜けた印象に。さらに、撮影時のライティングはいっさい変えていないのに、「肌が内側から発光しているみたい」と、スタッフが口を揃える。顔色がワントーン明るくなり、表情が生き生きとし始めたのが、誰の目にもわかるのである。

SUQQUのコンシーラーは、シミやクマを隠すだけでなく、肌質そのものを変えてしまう、まさに「肌整形」の隠し玉なのだ。しかもこの素肌感。だから、ファンデーションのあとに塗れるのである。

そこにはルールが存在する

ポイント メイク

POINT MAKE UP

田中メソッドのポイント メイクには、
いくつもの「ルール」が存在する。
それは化粧を難しくしようというものではなく、狙いは逆。
いくつかのルールさえ覚えれば、誰もが失敗なく
ポイント メイクをきれいに仕上げることができるのだ。
なかでも肝心なのが「色選び」。
田中メソッドで提案しているのは、
「東洋人の肌に合う色」である。
すなわち黄みを帯びた肌にのせたときに、すっと輝き出す色。
それを選べば、ポイント メイクの半分は成功したも同然。
次はいつ、どこに、どんな道具で塗ればきれいに見えるか。
その答えは、すでに決まっているのだ。
いくつかのルールをマスターするのは、ごく簡単なこと。
今こそ、顔をつくることの本当の楽しさを知ってほしい。

やや硬めの芯が理想
アイブロウペンシルは、芯がやや硬めで地毛の色に近いものが理想。それを軽く持ち、デッサンをするように手首のスナップを利かせて描く。

Point
Make up
Technique
Eyebrow

アイブロウ

目指すのは、描いたことを悟られない眉

ときどき骨格を無視して、ありえないような眉を描いている
女性を見かけるが、あれは実にもったいない。
いかにも「不自然なメイクしています」という化粧法は
厚化粧を印象づける。「隠したいものがたくさんあるのでは」と、
想像を膨らませてしまうのだ。だからメイクの理想は、
「何もしていないように見えるのにきれい」なこと。
アイブロウも然りである。自然に見せるためには、
今ある眉を整えるつもりで行うのがポイント。
まずは、眉部分のファンデーションを拭き取り、
油分を落とすところから。
眉山の位置は、眉に力を入れて持ち上げたとき、
一番つり上がるところに決める。眉を描くときは、
いきなりペンシルは使わず、まずはパウダーで形を整える。
最初はパウダー、あとでペンシルを使うことで
落ちにくい眉に仕上げるのだ。

綿棒で眉についたファンデーションを拭き取る。このひと手間で余分な油分が取れてパウダーのつきがよくなり、ペンシルの横滑りも防げる。

仕上がりに差が出る「綿棒」テクニック

続いて目のまわりのファンデーションを綿棒で拭き取る。上まぶたは目頭から目尻、目の下は目尻から目頭に向かって、目の際に綿棒を当てて軽く滑らせる。これによって、アイラインやアイシャドウのつきやもちがよくなる。

塗りつぶすのではなく1本ずつ描き足す

Point Make up Technique

Eyebrow

まずはパウダーアイブロウで眉の形を整えていく。1回分の適量は、パウダーの面をアイブロウブラシでワンタッチする程度。眉頭から描くと不自然になるため、必ず眉毛の少ないところからスタート。眉山を定めたら、眉尻へと一気に描く。

眉頭をくっきりと描いてしまうと「描きました」という眉になるので、ブラシに残っているパウダーで眉頭をぼかしていく。また眉頭の位置は、眉尻よりもやや下がっているように設定するのがポイント。

眉の色と同系色のアイブロウペンシルで、描ききれていない抜けた部分を埋めていく。毛の流れに沿って眉毛を1本ずつ描き足していく要領で。眉尻はペンシルで一気に線描きすると不自然になるので、少しぼかしぎみに。

「眉頭が強く主張しすぎる」と感じたら、綿棒の先を使ってつけすぎたパウダーをぼかすような気持ちで、仕上げの作業を行う。鏡から顔を少し離して、両方の眉を見ながら調整を。

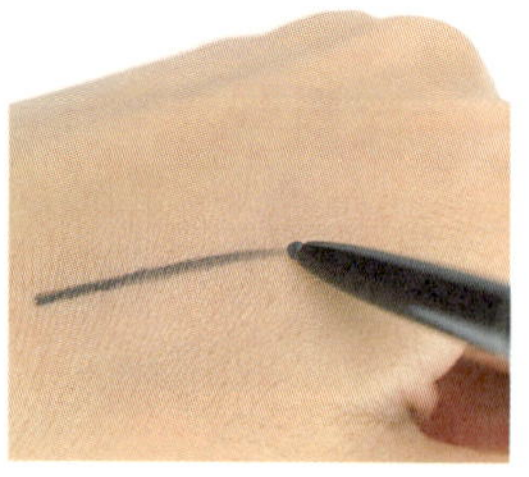

ブラシは"毛質"が大切

上質な毛を使った2タイプのアイシャドウブラシと、アイライナー用のブラシ（左）。アイライナー用のペンシルは、芯に適度な軟らかさがあると描きやすい。良質な道具を使えば、技術がなくても大丈夫。

Point Make up Technique

Eye Make up

アイメイク

はれたまぶたは、目の錯覚で消せる

日本人女性の多くが、顔の悩みとして挙げるのが、
「はれぼったい目」。どことなく表情をぼんやりと見せてしまう、
この悩みを取り払うことこそ、アイメイクの醍醐味である。
そのためには、最低3色が必要。まぶた全体に塗るハイライト。
アイホールにグラデーションをつけていくキーカラー。
そして、目元をきりりとさせるダークカラー。
目尻1/3をこの色で引き締めることで、俄然、表情が変わる。
キーカラーには、東洋人のまぶたをきれいに彩ってくれる
カラーを揃えたい。たとえば「ミカン色」。
黄みと赤みの微妙なブレンドが、鮮やかでいて、決して浮かない
色を生む。「若い人の色？」と躊躇することはない。
くすんできた肌にこそ合うのが、こうした彩度の高い色なのだ。
ここでは、高度なテクニックは不要。ほんの少しの知識と、
良質な道具があれば、はれはいくらでも引かせることができる。

東洋人の肌に合う カラーラインナップ

ここではSUQQUのパウダー アイシャドウを３色、目尻を締めるダークカラーとして、パウダー アイブロウを１色使用。ハイライトカラーに「日向砂」、キーカラーに「夕日茜」と「萌山吹」。そして締め色には「備前茶」。

日向砂
萌山吹
夕日茜
備前茶

ゾーンごとの色分けで 立体感のあるまぶたが

アイシャドウをゾーンごとに塗り分ければ、立体感のある締まった目元に。また、目を大きく見せたいなら、目尻のやや外側までシャドウをぼかすのがポイント。

アイシャドウブラシの面を使ってミカン色(萌山吹)を目尻からアイホール1/2の部分まで扇状に幅広くぼかし、グラデーションをかける。擦ると色が濁るので、チップの使用は厳禁。良質のブラシを使えばきれいに色がのる。

上下のまぶたの際に、アイライナー用のブラシで、こげ茶（備前茶）を入れる。やはり目尻から1/3の位置に内側から外側へ。上のラインは実際の目尻よりも１～２ミリ外側まで、端を上げぎみに描くこと。また、目尻のコーナーには少し空間を作っておく。

太めのアイシャドウブラシにホワイト（日向砂）をとり、アイホールの目頭側から途中まで色をのせる。まぶたに陰影、明暗をつけることで、立体感が生まれる。同じ色を均一にのせると、目がはれぼったく見え、メイクが濃く感じられる。

目が小さい人は、アイライナーペンシルで、上下とも目尻1/3の際に内から外に向けてラインを入れる。上まぶたのラインは、端をやや上げぎみに。上まぶたを軽く引き上げると描きやすい。上まぶたはラインを長めに引いたあと、こげ茶（備前茶）をブラシで幅広く入れる。

アイメイクの肝は
グラデーションづくり

ホワイト（日向砂）を太めのアイシャドウブラシにとり、ハイライトとしてまぶた全体にぼかす。さらに同じ色を、下まぶたの目尻から目頭に向けてひとはけ。これだけで目の周囲が明るくなり、次にのせるシャドウのつきもよくなる。

目尻1/3の部分にオレンジ（夕日茜）を入れる。太めのアイシャドウブラシのエッジを使って、外側から内側へぼかすようにのせる。色の濃いアイシャドウの場合は、目尻1/3にとどめるが、薄いものなら目尻1/2まで広げても。

中太のアイシャドウブラシに、4と同じこげ茶（備前茶）をとり、4で引いたラインを外側から内側へとぼかしていく。こうした微妙なグラデーションを表現するにはブラシ選びが重要。つけすぎたら綿棒で修正する。

綿棒の先にこげ茶（備前茶）をつけ、4でつくった目尻の空間にポンと置き、軽く埋める。そのまま目の下の際を通り、ラインへとぼかし込む。目尻をくっきり囲むのは「目はここまで」と伝えているようなもの。コーナーをぼかせば目は大きく見える。

魅せるまつ毛の法則は 根元ボリューム、 毛先ロング

Point Make up
Technique
Eye Make up

アイメイクの仕上げはマスカラ。まずはビューラーでまつ毛をカール。SUQQUのビューラーは、アール部分をアイホールに対して、45度の角度でグイッと入れるだけで、自然にまつ毛の根元から上がる設計。途中から直角に折れたまつ毛は、美しさの質を落とすので注意。

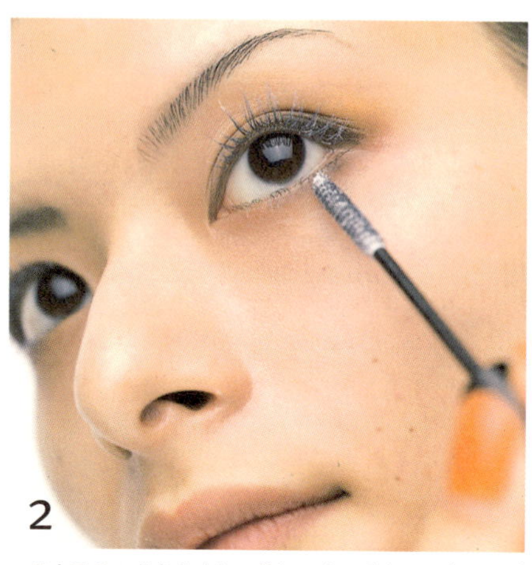

マスカラのつきをよくし、美しいまつ毛を１日中キープするためにはマスカラベースが必須。つける順は上まつ毛から。ブラシを横にして根元から１本１本染め上げるように塗る。下まつ毛はブラシを縦にして毛先だけに。

マスカラも上まつ毛から。まずあごを上げ、まつ毛がよく見えるようにする。ブラシを横にして根元から毛先に向けて、持ち上げるように塗っていく。液の重みでまつ毛が下がるのを防ぐため、まつ毛の外側は塗らない。

印象的な目元を目指すなら下まつ毛にもしっかりと塗りたい。下まつ毛の場合は、ブラシを縦にして毛先だけにササッと塗る。これによりまつ毛の先が細くなり「毛先ロング」の効果も。これで理想的な目元が完成。

Point
Make up
Technique
Lip

リップ

リップペンシルは最後。しかも口紅と異なる色を

口紅の塗り方には、その人の品性が出る。
たとえば唇の縦じわを隠そうとして、厚塗りをしてみたり、
アウトラインを実際の唇よりも内側にとって、口を小さく見せたり。
でもそうして無理をするほど、隠したところが目立つ。
だから、どんな唇もきれいに見える口紅の塗り方を提案したい。
まず、色選びについて。自信を持ってすすめるのは、ベージュ。
暗みを抜いたベージュなら東洋人の肌に映え、しかもいくつになっても
塗ることができる。色で迷ったらベージュ……である。
次に、リップペンシルは口紅よりもあとに使う。
先にリップペンシルを使うと、実際の輪郭より小さく描きがち。
また、輪郭も逆に目立って不自然な印象に。
そのミスを防ぐためにも、ペンシルはあとがいい。
色は何を選ぶか？　口紅と同色ではなく、あえて違う色を使いたい。
たとえ大きく違う色でもうまく混ざり合い、それが立体感を生む効果
につながるというのが、田中メソッドの考え方だ。

ベージュにこだわった口紅は、肌づきも格別

「東洋人に似合う色」「大人が使える色」を目指してつくった口紅は、ベージュにこだわったカラーバリエーションが特徴。また、肌づきのいいクリーミィな質感は、口元を重たく見せることなく、唇の色もカバーできる。

口紅との色合わせを楽しむリップペンシル

リップペンシルは、「口紅と同色使いをしない」のが田中メソッド。ベージュ系の口紅に、ボルドーやピンクなどの「フレーム」をつけることで、色のニュアンスが楽しめ、ふっくらとした唇が生まれる。

ふっくら唇を紡ぎ出すための3つのステップ

Point Make up Technique

Lip

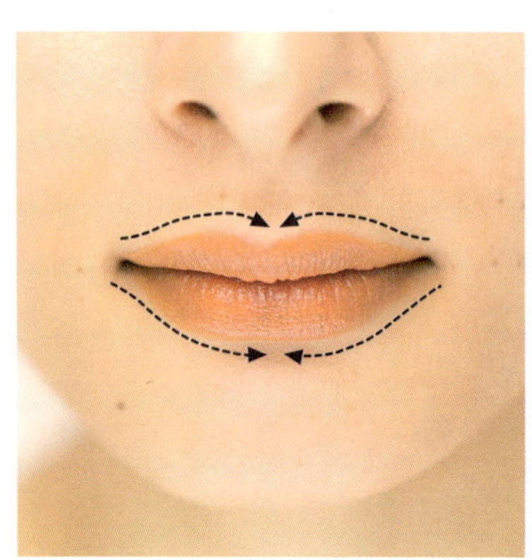

口紅は下唇、上唇の順に塗る。リップブラシを動かす方向は、上下ともに口角から中央に向かって。少しずつ色を定着させていく。

1

リップブラシの両面に口紅をたっぷりとつけ、口角から中央に向かって塗る。まずは輪郭を、次に中を塗りつぶす。輪郭を描くときは、アウトラインにブラシのエッジを当て、口角にブラシをグイッと入れ込むのがポイント。

2

「唇の縦じわが気になる」という人は、全体を塗ったあとにリップブラシの広い面を唇に当て、シワに沿って上から下へと動かし、溝にふんわりと色を入れ込む。このひと手間で、気になる唇の縦じわが目立たなくなる。

3

最後にリップペンシルでアウトラインを整えていくのが田中メソッド。ただし、一気にフチをとるのではなく、口紅となじませながら少しずつ輪郭を描き、同時に色のニュアンスを加える。これでふっくらと魅力的な口元が完成。

Point
Make up
Technique
Cheek

ブラシは軽く持つ
チークブラシやフェイスブラシは、毛束から離れた位置を力を込めずに、縦に持つ。つい力が入りすぎる鉛筆持ちは色が強く入るので、避けたい。

チーク

「面・点・側」に注目した 3色使いで中高（なかだか）の顔作り

チークは「フェイス・プロポーション」を整えるためのもの。
だから口紅を塗り終えたあと、ポイントメイクの最後に行う。
ここで注目したのは、顔が持つ面・点・側の３つの要素。
チークを「３色使い」することで、
それらを際立たせようと考えたのである。
詳しく言えば、「側」にシャドウ。「点」にチークカラー、
「面」にハイライトを入れるだけで
放っておいても顔は小さく、血色がよく見え、
そして日本人なら誰もが憧れる、立体的な顔になる。
「田中メソッドでは、チークをつけただけで３キロはやせて見える」
そう言われる所以（ゆえん）はここにある。
また、やせている人にとってもチークは必須アイテム。
ファンデーションだけではのっぺり見えてしまう顔が、
チークをつけたとたん、生き生きとした健康的な肌へと変化する。
その効果を知るほどに、手を出さずにはいられなくなるはずだ。

健康的なやせ顔をつくるチーク使い

肌を生き生きと彩るSUQQUのパウダリィ チークス。ここでは、シャドウカラーに「金桂皮」、チークカラーに「灰紅梅」、そしてハイライトカラーとして「枸橘」を使用。

3つのゾーンで色分けすれば自然な中高の顔が

チークをつけるときには3つのゾーンを意識する。耳の前から頬骨のトップの途中までと、耳の前からあごまでのライン(a)にシャドウカラーを。頬骨部分と頬骨の引っ込んだ部分(b)に丸くチークカラーを。こめかみの下から頬骨の上を通った目頭までと、その位置から直角に下ろし、小鼻の横、口角の横を通ったあご先まで(c)に、ハイライトカラーをのせる。

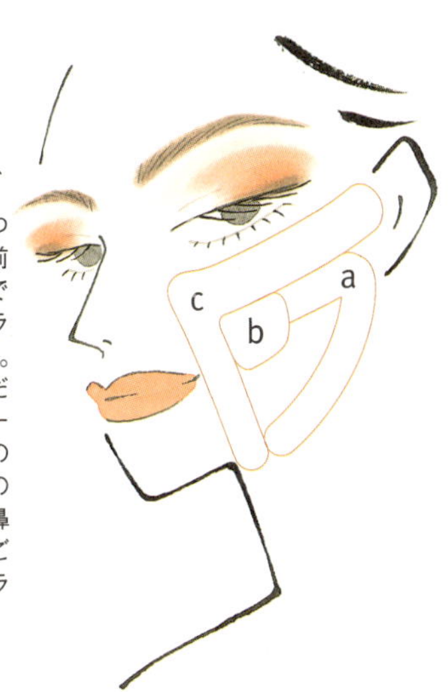

位置と順序を覚えれば、その小顔効果は絶大

まずはシャドウづくりからスタート。チークブラシにシャドウカラーとなるブラウン系（金桂皮）をたっぷりととり、耳の前から頬骨のトップの途中までのゾーンと、耳の付け根からあごの骨の上までのゾーンにぼかし込んでいく。

次にチークカラーとなるピンク系（灰紅梅）を、同じくチークブラシにとって、頬骨部分と頬骨の引っ込んだ部分にのせる。中心から周辺へと円を描くようにぼかすのがコツ。頬にほんのりと赤みが加わることで、血色のいい健康的な肌を演出できる。

締めくくりはハイライト。チークブラシよりもひと回り大きな、フェイスブラシにハイライトカラーのホワイト（枸橘）をとり、こめかみの下から目の下を通って鼻の脇へと、一気にぼかす。チークの量は毛束に雪がかぶっているぐらいで。

鼻の脇まできたらブラシをひっくり返し、小鼻の横と口角の横を通り、あごまで下ろしていく。こうしたハイライトの入れ方をすることで頬が高く見え、立体感のある顔立ちに。入れる位置さえ押さえれば、チークの小顔効果は絶大。

トラブルを一掃
仕上げ
FINISH

ポイントメイクが完成したら、最後に再び
コンシーラーを使って、肌色調整を行う。
ここでは、見た目の印象を決定づける
「三角ゾーン」に絞って、色調を整えるのがポイント。
さらに目尻の修正を。ホワイトとベージュの
コンシーラーのエッジを使い、目尻の下がった溝を消す。
それだけで下がっていた目が上がって見える。
Wコンシーラーはこうした「錯覚」効果も生む。
また、シミ、クマなどの欠点やトラブル修正も、
ファンデーションの前ではなく、
メイクの最後に行うのが、田中メソッド。
いずれも、まずホワイトを塗った上に、
肌色に合わせてベージュかダークベージュを
重ねてブレンドする。これで「肌整形」は完了。

Wコンシーラーで肌色調整

1
目頭、目尻、小鼻の脇を結ぶ「三角ゾーン」に、コンシーラーのホワイトを塗る。その上に重ねるように、ベージュまたはダークベージュを。スティックは強く押し付けず、ザッザッと滑らせる。

2
片方の手でこめかみを押さえ、ホワイトと、ベージュまたはダークベージュを中指の腹でブレンドするようにぼかす。目の下は目尻側から内に向かってのばし、指に残ったコンシーラーを小鼻と口元に。三角ゾーンがワントーン明るくなる。

Wコンシーラーで目尻修正

3
ホワイトのコンシーラーが持つ「レフ板効果」を利用すれば、下がった目尻も瞬時に引き上げられる。まず、ホワイトのコンシーラーのエッジを使い、目尻の溝と垂直に1本ラインを引く。その上からベージュ、またはダークベージュを重ねる。

4
コンシーラーを塗った部分を綿棒の先でぼかしていく。さらに指先でなじませて、肌と一体化させれば目尻修正が完了。目尻の溝がつくる「陰」が姿を消し、きりっと凛々しい目元に。表情が一段と若返るのは言うまでもない。

Wコンシーラーでトラブル解決

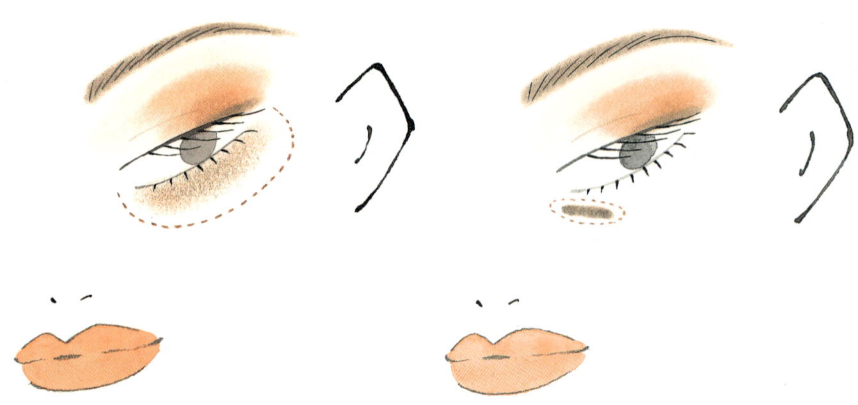

「薄くて大きなクマ」は肌と同化させて

目の下にうっすらと広範囲にできるクマには、コンシーラーのホワイトとベージュを使用。クマの周囲までホワイトをまんべんなく塗り、その上にベージュを重ねづけする。さらに指先でたたき込んでなじませ、肌と一体化させる。

「濃いクマ」にはダークカラーが基本

色の濃いトラブルには濃色で対応。くっきりと濃い傷のようなクマは、コンシーラーのホワイトの上にダークベージュを重ねてカバー。クマを覆うだけでいいので、塗る範囲を広げないこと。指でたたき込むようにしてなじませる。

ライン取りで「唇の形」も自在に修正できる

口が大きい、左右のラインが違うなどで、唇の形を修正したいときにもコンシーラーで。ホワイトでライン取りしてフチを消し、ベージュをその上に重ねる。最後にぼかして肌と一体化させれば完了。口紅を塗る前に修正しても。

「シミ」は円で塗り込み周囲だけをぼかす

目立つシミは、クリクリと円を描きながらクレヨン使いでカバー。コンシーラーのホワイトをベースに、薄い色のシミならベージュ、濃ければダークベージュをのせる。シミの外側までカバーして周囲を指や綿棒でぼかすこと。

くずれたら指で直す

化粧直し

REMODEL

田中メソッドでは、化粧直しですら常識破り。
プレスト パウダーもファンデーションもいっさい使わないのである。
使うのは自分の皮脂と指、そしてほんの少しの修正ツールだけ。
「皮脂は取れば取るほど、よけいに出る」
つまり、表面の皮脂膜まで完全に取り除くことは、
新たな皮脂分泌を誘ってしまうということ。
だから、出てきた皮脂は8割だけ取って、
残りの2割は、ファンデーションの膜に取り込んでしまう。
それを指でギュウギュウと、肌になじませるだけで、
新しい皮膚は、あっけなく再生できてしまう。
逆に肌が乾燥したなら、ミストで保湿。
そのあとは、Wコンシーラーやリフトアップに効果的な
ポイント リペアが大活躍。何度重ねても厚くならないので、
こまめに部分修正するだけで、朝の肌に甦る。

オイリー肌

皮脂は取りきらず、化粧直しの味方に

あぶらとり紙またはティッシュで皮脂を押さえる。皮脂の８割を取って、２割は肌に残しておくようにザッと取り、残った脂を指でなじませる。あぶらとり紙は、大きいものを使用。小さい紙を少しずつ肌に当てると、それだけで断層ができてしまう。

スキンタイプ別にコンディションを調整して、肌再生

ドライ肌

時間が経つほど乾く肌にはミストを使用

時間とともに肌がパサつくという人は、保湿用のミストをたっぷりと肌にスプレーして、潤い補給をする。スプレー直後はくずれやすいので、顔を触らないよう注意。成分が自然に肌に浸透し、半乾きになるまで待つこと。

目頭、目尻、小鼻を結ぶ三角ゾーンにコンシーラーのホワイトを塗り、その上にベージュをのせる。肌の色が暗めの人はダークベージュでも。この部分の肌色を整えるだけで、疲れた肌に活力が戻ったように見える。

Wコンシーラーで三角ゾーンの色調整

片方の手でこめかみを押さえながら、重ねた2色を中指の腹で一気にぼかす。指の動きは内から外、下から上へ。SUQQUのスティック コンシーラーは、1日に何度化粧直しをしても厚塗りにならない。

ポイント リペアで
疲れた肌を整える

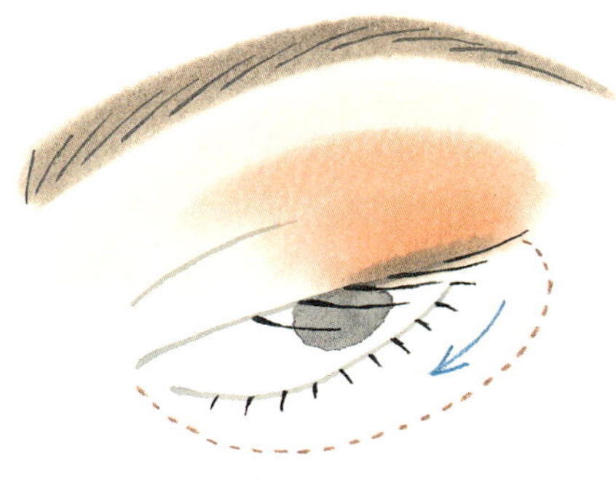

目元の小じわ

目尻から目頭に向けて
指の腹でなじませる

小じわや毛穴の目立つ部分に塗るだけで、自然なハリ感をもたらすポイント リペア。1回の適量は、「米粒大」が目安。目元の小じわには、片方の手でこめかみを軽く引き上げながら、目尻から目頭に向かって指でポンポンとなじませていく。

ほうれい線

シワと垂直に塗れば、
内側から口元ふっくら

ほうれい線の上のちりめんじわをカバーするように、中指でポイント リペアをのせ、シワと垂直に外へ向かってのばしていく。たるんだ口元にハリが甦り、シワが目立たなくなる。

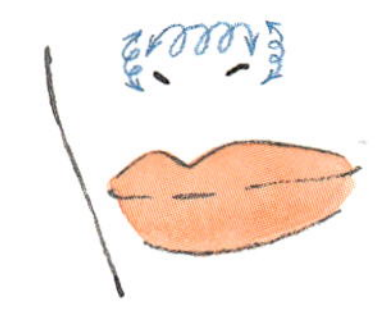

鼻まわりの毛穴

毛穴の陰消しで
肌の透明感アップ

小鼻も鼻のトップも、らせんを描きながらポイント リペアをしっかりのせるように塗る。毛穴による陰影が消えれば、肌のなめらかさはアップする。

SUQQU
ポイント リペア

Column no.3

text by Masami Yoshida

大人肌のベースメイクに欠かせない
〝主役を張る〟名優2品

文＝吉田昌佐美

美容ジャーナリスト

田中メソッドのベースメイクをひと言で表現するなら「薄ミルフィーユ肌」、そんな言葉がぴったりだろう。普通のミルフィーユじゃダメ。ひたすら薄くて〝肌〟になるミルフィーユ。大人になると悩みを隠すためにファンデーションに依存することが増えるけれど、それが全くの間違いだったことを教えてくれたのがWコンシーラーだ。

ファンデはごくごく薄〜く、スキントーンを整える程度に。頬の三角ゾーンに「白」と「肌色」のコンシーラーを〝一度に〟重ねて指で一気にぼかし込む。これだけで毛穴やキメが見事に消えて、まるで〝光〟を浴びているように肌の透明度がぐんと上がる。しかも、見た目も触った感じも素肌みたいにナチュラル。午後になってもテカらずくずれず。むしろ時間が経つほど肌の美しさが際立ってくるから不思議。特に寝不足続きで肌のアラが目立つときや写真を撮る前は威力絶大だ。塗っておけば80％増しの美肌は確実である！

それまで〝肌の消しゴム〟としか思っていなかったコンシーラー。田中さんにお会いしたとき「思い込んでいるだけ。それじゃキレイになれないわよ〜」と言われ、〝当たり前のお約束〟に縛られていた自分を反省。最近は技も熟知し、毛穴や赤みの出方で「白」と「肌色」の塗る分量を調節できるまでに進歩。決して真っ白くならない「白」の発色、肌と一体化し続けるベースの絶妙な硬さ……使い込んでいくと、いかに綿密に計算されているかがわかる。大人の肌にこそ違いは歴然だ。

もうひとつのお気に入りがポイントリペア。こちらはWコンシーラー以外の部分を担当する肌再生の職人。頼もしいカバー力に加え、潤いとリフトアップ力。目元のシワや眉間の縦ジワを面白いように消し去ってくれる。ファンデを塗りたくない日はこれとWコンシーラーで済ませることも。

まさに主役を張る名優2品——。ベースメイクの楽しさを改めて教えてくれた、私にとってなくてはならない〝相棒〟である。

吉田昌佐美プロフィール

雑誌『Grazia』など、女性誌を中心に活躍。美容全般にわたり詳しく、そのツボを押さえたわかりやすい表現には定評がある。

Beauty Artisan
Yukuko Tanaka
Method

第4章

田中メソッドはここから生まれた

田中宥久子「マイ・ストーリー」

祖母の教えは永遠の財産

もし、自分の前に敷かれたレールの上をそのまま進んでいたとしたら、ヘアメイク・アーティストにはなっていなかった。でも自らの意志で脱線したから、私は今、この仕事をしている。

「女は教育より、まず天職を見つけなさい。」あなたは絶対、美容師に向いている」

幼い頃から、母方の祖母にそう言い聞かされて育った。まるで、暗示をかけられるかのように。２歳上の兄は、どうやら「あなたはサラリーマンに向いている」と言われていたらしい。

美容師だった祖母は、大正時代に大阪で初の美容学校を設立した。手に職を持った女性の育成を目指していたのだと思う。

ところが、学校も何店かあった自分の美容院も、第二次世界大戦で全焼。知人を頼って夫と娘夫婦、つまり私の両親とともに福岡県の大牟田市に移り住んだ。そして戦争が終わると、そこに自分の美容院を構えたのである。

さらに数年後には博多に引っ越し、私が小学校に上がる頃には、祖母は支店をいくつも持っていた。祖父は、大阪時代に会社を３つも興した実業家。対して祖母は決して、経営の才に恵まれていたわけではない。お客様の要望に応えていたら、いつの間にか支店が増えたという感じだったようで、最終的には東京にも出店した。
私にとって、祖母の美容院は格好の遊び場だった。3歳の頃からコームを握り締めて美容師のまわりをチョロチョロしていると、やはり門前の小僧になる。高校生のときにはすでに、フケ取りやシャンプー、カット、スタイリングなど、基礎はしっかり身につけていた。
祖母は従業員教育に熱心で、東京から有名な美容学校の先生がやって来て講習会を開くときなどは、欠かさずチケットを買っていた。その際は必ず、こう命じられる。
「今日、素晴らしい先生がみえるから、あなたも必ず行くようにね」
私は言われるがまま、学校帰りにセーラー服姿で講習会に向かう。それを苦に感じなかったのは、先端を行く都会のテクニックに強い関心があったからだと思う。
母は子供に「ああしなさい、こうしなさい」とうるさく言う人ではなかった。あの時代には珍しい一人っ子で、おまけに乳母日傘で育てられたため、いい意味で奔放。美容学校を出て美容師免許を持っていながら、日本舞踊の名取になり、本業より踊りを教えることに熱心だった。当然、母の口から「美容師になりなさい」という言葉を聞いたことは、ただの一度もない。
だからなおのこと、祖母は孫の教育に力を注いだのかもしれない。その結果、私は美容師へと続くレールをまっしぐら。高校卒業後、迷わず東京の山野美容高等学校に進んだ。
実は、それからの2年間が分岐点だったのである。美容学校でヘアスタイリングとメイクアップを学ぶ過程で、私は初めて、美容師という職業について客観的に考えられるようになった気がする。

祖母は「あなたは美容師に向いている」と言う。本当にそうだろうか？　美容師は、お客様の「こんな髪型にしてほしい」という注文に従わざるを得ない。技術さえあれば、それはできる。

でも私は、言われるとおりにつくるのは嫌い。自分でヘアスタイルを創造したい。その人に本当に似合う髪型を、顔とのバランスを考えて表現したかった。

美容師には向いていない——。これが自分で出した結論。祖母が敷いたレールから外れることに、もう迷いはなかった。美容師免許を取得した私は、自分の意志に従ってヘアメイク・アーティストという別の道を歩み始めたのである。

ただ、祖母から仕込まれた髪結いの基礎は、永遠の財産。今もしっかり、私の中で活躍し続けている。

そして、祖母から譲り受けた日本髪を結うための道具は、大切なお守り。映画の撮影現場に向かうとき、メイクボックスの中には必ず、祖母が現役の頃に使っていたツゲの櫛をしのばせる。

仕事の前に心の中で「力を貸して」とつぶやくと、お守りはちゃんとパワーを与えてくれる。現在の私があるのも、祖母のおかげ。心からそう思っている。

研究せずにいられないのは父親譲り

今の私を知る人は決まって「ウソでしょ？」と疑うけれど、少女時代は人見知りが激しく、無口でおとなしかった。

友達に「あなたはどう思うの？」と聞かれても、面と向かって自分の考えを口にできない。ここで正反対の意見を言ったら、相手を否定することになる。それを避けようと思うと、どうしても口をつぐんでしまう。

社会に出てからも相変わらず、自分の意見を言うのが苦手だった。でもある日、気付いたのだ。きちんと意見を述べなければ、人との間に誤解が生じて、相手も自分も傷ついてしまうということに。

だからといって、人間、すぐには変われない。話し下手を克服するためにはやはり、訓練が必要だった。

相手の話を聞きながら、自分はどう思うのか頭の中で懸命に考えをまとめる。話し方、言葉遣いに気を配る。そんな課題を自分に与えることで、徐々に意見を言える人間になっていったように思う。

180度は無理でも、意志さえあれば、人は性格を変えられる。たとえ、いくつになっても。

ただし、私は基本的に、話すことより聞くほうが得意なタイプ。自分は語らず、聞き役にまわって人を観察するのが好きなのだ。

世の中にはさまざまな人間がいて、多種多様な考え方がある。相手の話にじっと耳を傾けていると、その人の人生を垣間見ることができる。人間観察をすると、社会が見えてくる。私にはそれが楽しい。要するに、社会学が好きなのかもしれない。学ぶこと、得るものが多いから。

たとえば、銀座にある会員制クラブのママと地方都市のクラブのママとでは、職業は同じでも雰囲気や立ち居振る舞いはどこか違う。その微妙な差異を、私は映画撮影のメイクやヘアスタイルに反映させる。知らず知らずのうちに身に付いた観察眼は、間違いなく仕事に役立っている。

おまけに、解決したいと思うことに出会うと、とことん追究してしまうクセが、私にはある。学者だった父親に似ているのだろう。

父は国立大学の工学部教授で、胃カメラやレントゲンといった医療機械の技術を発明してきた。金銭欲がまったくなく、研究一筋。私の記憶には今もはっきりと、自室で本の山に囲まれて過ごす父の姿が刻まれている。

父親譲りのせいか、小さな頃から既成のものをなぞるのが嫌いだった。何もないところから、自分の考えをひねり出さずにはいられない性分。

それは、いくつになっても変わらない。ファンデーションを研究し、新しいマッサージ

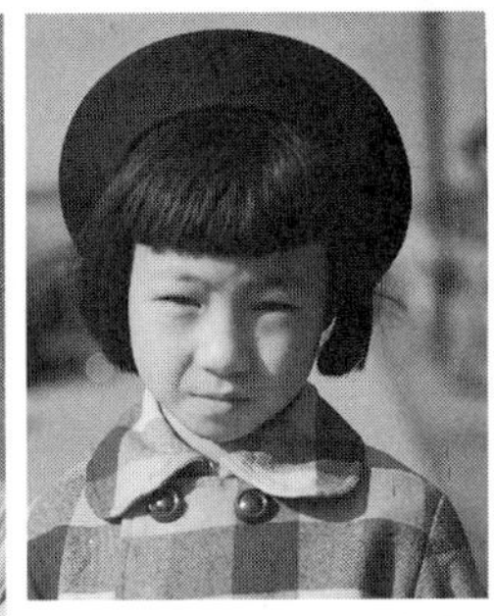

右列一番下が、祖母が開いた美容学校での授業風景。その上と左の写真が、祖母や生徒たちの作品。左列中央が祖父と祖母、そして若い頃の母。その上が、写真館で兄と両親と撮った家族写真。残りの3枚は私。5歳、高校1年生、18歳の頃。それ以降、結婚するまでの写真が1枚もない。

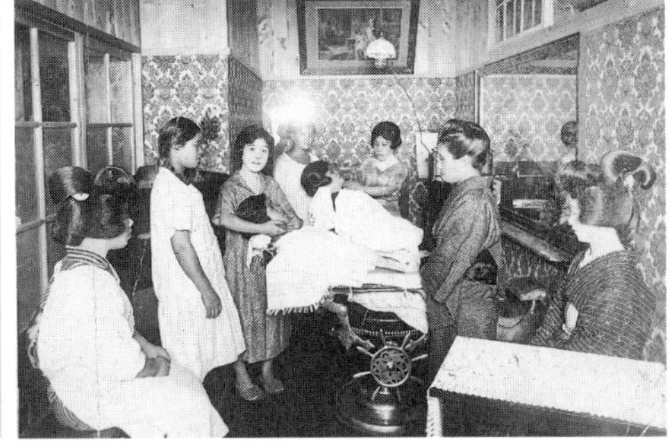

法を追究し、気が付くと自分の中にオリジナルの法則ができていて、当たり前のように実践している。

考えてみると、私は祖父と祖母、父と母、肉親それぞれのいい部分だけを、ちゃっかりとうまく受け継いだのかもしれない。

思いが強かったから、顔は変わった

20代の頃、自分の顔が大嫌いだった。だから、その当時の写真は一枚もない。子供のときは、きょうだい喧嘩になると兄にいつも「下ぶくれー」と言われていた。悲しいし、悔しい。でも本当のことだから、自分でも認めないわけにはいかなかった。下ぶくれの顔がイヤ。はれぼったい目も許せない。山野美容高等学校に通っている頃が、コンプレックスのピークだった。

頬が削げたらいいのに、アゴのとがった顔になりたい、はれぼったい目がすっきりするといいのに……。すべての女性がそうであるように、私もまた、〝美しさ〟に強い憧れを持っていた。

顔に少しずつ変化が表れ出したのは、仕事を始めてから。社会人になると生活に緊張感が生まれ、〝美しさ〟に対する意識も強くなり、顔は変わっていくのである。30代に入る頃には、自分でも驚くほど顔は変化した。

大事なのは、意志と美意識を自分が持ち続けること。そうすれば、顔は変わる。これが私の実感。

逆に、「私は絶対にきれいになれない」と決め付けてしまったら、今の顔から脱却することはできないだろう。「敏感な女」に属する人は、とくにその傾向が強い。

一般的に女性は、大きく「専業主婦」と「働く女」に分類される。でも私は、もう一種類「敏感な女」というカテゴリーがあるのではないかと思っている。そのタイプが存在することを、大病をして1年近い入院生活を送ったときに発見した。

病気をすれば誰だって不安になるし、気も滅入る。でも前向きな患者さんは、医師の指示に素直に従って、積極的に治していこうとする。病気にもよるけれど、そういう人は大抵、退院するのが早い。

その一方で、こんな患者もいる。「先生は潰瘍とおっしゃるけれど、本当は私、ガンじゃないですか？」と、自分で決めてかかるタイプ。自ら病気をつくっているようなものだから、治りは遅い。下手をすると、もっと深刻な病気に陥ってしまう。

「敏感な女」とは、こういうタイプのこと。実際、自分を敏感肌と思い込んでいる女性はとても多い。でも、先天性のアレルギーやアトピー性皮膚炎を抱えている人を除けば、敏感肌の人間なんて実は少ない。

以前、赤ら顔の女性に顔筋マッサージをしたことがあった。彼女もやはり「私、敏感肌なんです」と言っていた。ところが、マッサージをし、メイクを終えた頃にはすっかり赤みが消えてしまった。
赤ら顔の原因は、肌のうっ血。顔筋マッサージで老廃物を流し、血液の循環をよくすれば、赤みは取れる。敏感肌なわけでも何でもない。単なる思い込みである。
私はこう思う。自分を敏感肌と決め付けている人の多くは「心の過敏症」ではないか、と。思い込みというのは、本当に怖い。ネガティブ思考の患者と同じように、自ら症状を悪く悪くしてしまっている。そのことにまず気付いてほしい。
病は気から。美容も気の持ちよう。「きれいになりたい」という思いが強ければ、本当にそうなっていく。これは事実。

子育てに専念するのは当たり前のこと

実は、独身主義者だった。自分が結婚して子供を産むなんて、一度も想像すらしたことがなかった。それなのに、出会いからわずか11ヵ月。気が付くと、勢いで結婚していた。28歳のときである。
兄が言うには、私の結婚式の日、祖母はこうもらしたらしい。
「宥久子が普通の人生を歩むとは思ってなかった。あぁ、もったいない」
そういえば、祖母は幼かった頃の私によく、こんなことを言っていた。
「あなたは、普通の子ではない。人が驚くことをきっとする」

多くの女性たちと同じように当たり前の人生を選んだ孫を見て、自分の気持ちが裏切られたように感じたのだろう。
ともかく私は普通に式を挙げ、結婚した。相手はサラリーマン。自分の主義を堅持する頑固な人で、「結婚したら女性は家庭に入るべき」という考えの持ち主でもあった。
私はといえば、かつての独身主義はどこへやら。二つ返事で「はい、仕事はやめます」と承諾した。若気の至りで、家庭に束縛されることを「愛されている証拠」と錯覚していたのだと思う。
フリーランスの女性は大概、結婚しても仕事を続ける。できることなら、私もそうしたかった。でも、夫の反対を押し切ってまで働こうという気にはなれなかった。奥さん業に専念するのが嬉しくもあったから。
子供が生まれてからは、もちろん仕事どころではなくなった。私は30歳のときに長女を、33歳で次女を出産している。とにかく子供がある程度大きくなるまでは、絶対に働くまいと決めた。母親が子育てに専念するのは当たり前のこと、と思っていたから。
育児休業中の人が「早く仕事に復帰したい」と焦るケースは少なくないと聞く。でも私は、焦りもストレスもまったく感じなかった。もともとひとつの物事に没頭するほうで、あれもこれもと考えたりしないタイプ。だから、子供を育てながら他の対象に気を取られるということがいっさいなかった。
ひょっとして、息抜きする場があったから、バランスを保っていられたのかもしれない。

正直言うと、祖母が私のために「何かあってもちゃんと生活できるように」と東京の中央線沿線に開いてくれた美容院で、ときどき、特別なお客様のメイクやヘアスタイリング、着付けを仕事として行っていたのである。

その頃はすでに祖父母、両親とも東京住まい。だから私は、美容院と棟続きの実家で祖母や母に子供たちの面倒を見てもらい、仕事をすることができた。

夫には「ちょっと実家に行ってくる」と告げるだけ。もちろん、仕事をしていることは内緒だった。彼は夜中の1時、2時に帰宅する猛烈サラリーマン。「亭主留守」は、私にとって好都合。それで幸い、いいペースで美容院に立つことができ、ちょっとした仕事人の気分を味わっていたわけだ。

ただし、その状態をずっと続ける気はなかった。下の子が幼稚園の年長になった頃、私はヘアメイク復帰のエンジンをかけ始めた。

子供は間違いなく、成長していく。娘たちが中学、高校に上がる時期に仕事を再開しようと思っても、ブランクが開きすぎてもう無理。そうなったとき、私は必ず「あなたたちのために、お母さんは仕事をしなかった」と恩着せがましいことを言うに違いない。子供たちだって、迷惑なはずだ。仕事を再開するなら今しかない。そう決断し、私は子育て専念に終止符を打つことにしたのである。

問題は「女は家庭にいるべき」という夫の考えを、どう打ちくずすか。最初の頃は、仕事で外出する私を彼は黙認していた。だけど、長くは続かなかった。

女性が結婚と仕事を両立させることに、夫は強く反対した。家庭の平和を一番に望み、子供を大切にする人でもある。だから最終的に、このひと言が出てきた。

「仕事か家庭か、どちらかを選びなさい」

長い長い時間を労して、考えに考えた末、私は仕事を選んだ。そして子供たちとともに生きる。そう覚悟も決めた。

私の結婚生活は、12年でピリオドを打った。子供たちに切ない思いをさせて、本当に申し訳ないと思う。子供たちには一緒に人生を歩いてもらいたかった。そして私の生き方を、見定めていてほしかったのである。

子供がいたから走り続けられた

絶対、ひとかどのヘアメイク・アーティストになってみせる。自分の手で子供たちを育てて母親としての責任をしっかり果たし、自立した人間になろう——。

離婚したとき、私は心に固くそう誓った。しかし、8年のブランクを埋めるのは容易なことではない。いくら働く意欲があっても、いきなりそう多くの仕事は入ってこない。ここがフリーランスの辛いところだ。

子供たちの教育費用は別れた夫がすべて負担してくれることになっていたものの、生活費は私が働いて稼がなくてはならない。それなのに、仕事が来ない。親子3人、さてどうやって食べていこう……。困り果ててしまったけれど、他にできる仕事はない。

踏ん張る以外に道はなかった。私は、結婚生活が破綻したから別れたわけではない。理由はあくまでも、仕事復帰のため。ヘアメイクとして自立しなければ、夫にも子供にも申し訳が立たない。その気持ちが、自分の支えになっていた気がする。

金銭面の頼みの綱は兄だった。すまないと思いつつ、何度、借金を申し入れたことか。そのたびに、こう怒鳴られた。

「いつまで金にならない仕事を続ける気だ。ヘアメイクなんか、やめてしまえ！」

それでも、お金はちゃんと貸してくれた。子供の頃に祖母から「あなたはお兄さんなのだから、妹の面倒は一生見なくちゃいけない」と言われたらしく、ずっと使命感を持ち続けているようだ。私たち親子が生きてこられたのは、そんな兄の助けがあったからこそ。

貧乏状態はしばらく続いたけれど、やがて、人づてに仕事がどんどん入ってくるようになった。ラッキーな人間だと、つくづく思う。

仕事が回転し始め、とりあえず生活は好転した。しかし、忙しい日もあれば暇なときもある。そんな日々に不安を抱いていると、小学校5年生の娘が「お母さん、仕事はたくさんくるかどうかの〝量〟が実力ではないのよ。〝質〟が実力なのよ」と、励ましてくれた。今でもその言葉が私の仕事の原点になっている。

辛かったのは、子供が熱を出して寝込んだとき。フリーランスは誰かに仕事を肩代わりしてもらうことができないから、どうしても休めない。ほっぺたを真っ赤にして寝ている

結婚後の写真。右列一番上と一番下の写真が、長女を出産してすぐの頃。左列中央が遊園地で撮った写真。35〜36歳のとき。その上が夫に内緒で仕事をしていた頃。右端にいるのが今は亡き母。左列下が、約2年前に長女が住む上海へ、次女と訪れたときのもの。

娘を残して家を出る瞬間は本当に身を切られるような思いで、辛く、切なかった。
撮影現場にいる間は仕事に没頭しているため、子供のことを考える余裕はない。それが「お疲れさまでした」という終了のあいさつと同時に、気持ちがカチッと切り替わり、心配で胸が張り裂けそうになる。
猛ダッシュで電車に飛び乗り一目散に帰宅すると、子供はふだんと変わらない表情で熟睡している。その無邪気な顔を見たら、疲れなどいっぺんに吹き飛んでしまう。子供たちに感謝……そう思う日々の繰り返しだった。
私の家庭についての話は、別れた夫も、今大人になって自立している子供たちにとっても懐かしい歴史であり、振り返ると多大なる迷惑と犠牲のうえで現在の私が成り立っているように思う。
あのときの分岐点で別れていなかったら、また別の幸せな私が存在していた、とも思う。
人生にはさまざまな生き方がある。
大人の判断で両親が別々に生きることに対し、子供たちへ詫びる気持ちと悔いる気持ちは一生変わらないだろう。しかし、子供たちがいたから私は走り続けてこられたのである。
現在は子供たちとはもちろんのこと、別れた夫ともいい関係を保っている。今や私にとって、子供は叱咤激励してくれるありがたい存在。元夫にも、励ましのエールを送ってもらっている。感謝の気持ちでいっぱいである。

現場の張り詰めた緊張感が好き

映画の撮影現場は、真夜中から新しいシーンを撮り始めるといったことが当たり前の世界。その場合、終了時間は29時、30時に及ぶ。実際、現場では徹夜で明ける時間をこう表現するのだが、そこで撮影の辛さを自覚しようものなら、一気に疲れが噴き出す。

精神的にも、体力の面でも、辛いことはたくさんある。でも「どうしようもなく辛い」と思ったら、頑張りがきかなくなってしまう。そもそも弱音を吐いたところで楽になるわけではないから、口にするだけ無駄かもしれない。

私は「辛いと思う自分」が好きではない。だからきつい現場に入るときはいつも、こんなふうに考えるようにしている。

「一日の20時間以上も有効に使えた。25時スタートの撮影から、いい仕事ができた。私はなんて幸せなんだろう」

頭を切り換えると、本当にそう実感できるから不思議だ。さらには、人や時間、物に対する感謝の気持ちまで生まれる。「今日も幸せだった」と思って眠ると、心と身体にドサーッと疲れが溜まることもない。

ただ、私は追い詰められれば追い詰められるほど、元気になる人間。難しくて厳しい仕事になると、俄然やる気が出るのだ。神経を張り詰め、自分を研ぎ澄ます。私にとって仕事とは、そういうもの。

仕事には終わりがなく、どんどん奥が深くなっていく。たとえば一口にメイクと言っても、数え切れないほどのパターンがある。30色のカラーをすべて使おうと思えば使えるし、逆にたった一色で仕上げることも可能だ。

しかも、時代が流れ続ける限り、メイクは絶えず進化していく。だから、キャリアを重ねるほどに、奥の奥が見えてくるのだと思う。

女優のヘアメイクを手がけるとき、一度使ったパターンを再び持ち出すことはできない。ヘアスタイルもメイクアップも、常に変化している。とどまることのない時代の風をキャッチし、的確に表現しなければならないのが、この仕事。同じものを繰り返しつくるなんて、私の中ではあり得ないことなのである。

美しさというものは奥が深く、終点がない。ヘアメイクをしている以上は、常に感性を磨いていなければいけない。キャッチ力を鍛える必要もある。頭でっかちでは困るし、かといって技術だけで通用する世界でもない。そう、バランスがすごく大切。だから私の中では、仕事はどんどん難しくなっている。

映像でも広告の世界でも、自分を使ってくれる制作会社の固定スタッフになることを望むフリーの人間は少なくない。確実に仕事が来るという安心感があるからだろう。でも私は、固定された環境や決められた枠の中で仕事をするのが苦手。

それより、少しでも前進できるよう、常に自分を高めておこうと思う。もっといい仕事がしたいがために。

難しく、厳しい現場には必ずや、緊張感がある。その張り詰めた空気が、私はたまらなく好きなのだろう。

「顔の見えるつくり手」になる

仕事の現場ではいつも、黒い服を着ている。黒のシャツとパンツに、白いTシャツ。そして、必ず帽子をかぶる。別に格好をつけているわけでも、自分のイメージをアピールするためでもなく、これは私の仕事着なのだ。

帽子をかぶるのは、目を保護するため。UVカット仕様の眼鏡も同じ理由。目がひどく光に弱いため、撮影現場の強いライトに耐えられない。帽子で陰をつくり、眼鏡をかけなければ、夜には目が真っ赤に充血して開けていられなくなる。

黒い服を着る理由は、要するに自分は黒子(くろこ)だから。他のヘアメイクの方々はどうかわからないけれど、私個人はそう考えている。映像の世界でライトを浴びるのは、あくまで俳優たち。ヘアメイクは黒子に徹するべきだ、と。

たとえば撮影中、風が強くて女優の目に突然ゴミやほこりが入るという事態が起こったりする。そのとき、監督から「田中さん、ちょっと見て」と声がかかる。私は素早く行動を起こさなければならない。

まず、引きのシーンかアップを撮影しているのか、マイクの位置などから瞬時に判断する。もしアップを撮っているなら、女優に目薬を渡し、ゴミが取れたところで顔を軽くパフで押さえる。そして次の瞬間、ぱっとしゃがむ。すると撮影が瞬く間に再開する。

そんな早業ができるのも、黒い服を着ているから。黒は光を吸収するため、他の色のように反射してカメラに映り込む心配がない。結果、撮影を妨げることがないという次第。

舞台の仕事をする場合も、全身、黒ずくめだ。以前、ある舞台で女優付のヘアメイクを担当したときのこと。舞台の袖に待機して、わずか5秒で女優の髪型を変えるという場面があった。そのときに、客席から私の姿が見えてはまずい。だから、幕の色と同じ黒い服を着る。

白のTシャツは、それとは別の役目を持っている。女優にヘアメイクをし、仕上がりをチェックする段階で、私は彼女たちの背後に立って鏡を見る。その際、黒いシャツだとヘアスタイルのシルエットがわかりにくい。そこで、白いTシャツをバック紙代わりにし、鏡で髪型を確認するわけだ。

仕事着だけではない。私は気持ちの上でも、黒子に徹しているつもり。俳優はみな、自分の役柄にこだわる。中には、台本をとことん追求する厳しい人もいる。その中で私は、何をしなければならないか？　彼らの気持ちを抑揚させ、役に没頭できるようにすること。それが自分の仕事だと思っている。

いわゆる「汚れ役」や「老け役」のメイクを手がけるとき、私は女優の顔を一度きれい

［第4章］田中メソッドはここから生まれた　田中宥久子「マイ・ストーリー」

に仕上げ、それからくずしていく。初めに「自分の美しさ」を確認すると、メイクによって顔が老けていっても、その人自身が納得できるから。

かくして女優は、カメラの前に立ったときには、もう完璧に老婆になりきっている。黒子の私が、心の中で「よかった！」と叫ぶ瞬間でもある。

表舞台には、決して出ない。それが黒子というもの。でも、ＳＵＱＱＵを立ち上げてから、私の立場は大きく変わった。

自分の顔が露出することに、最初はものすごく抵抗があった。実際、ＳＵＱＱＵの担当者に「私の写真は絶対に出さないで！」と懇願もした。それが今では……。

考えを改めたのは、スーパーの野菜売り場に立ち寄ったとき。「この人が作りました」という表示と、隣に並ぶ生産者の写真を見て、こう思ったのである。「自分が手がけた商品に対して、私もきちんと責任を持たなければいけない」と。

農家の方たちは、自分のつくる野菜に絶対的な自信があるから、消費者に堂々と顔を見せる。私の姿勢も彼らと同じ。ＳＵＱＱＵのアイテムすべてに自分が長年かけて培ったテクニックと美容理論を注ぎ込み、自信を持って送り出している。それを証明するためにも、「顔の見えるつくり手」でいようと覚悟を決めた。

でも、気持ちは固まっているものの、私の基本スタンスはやはり黒子。その精神が身体に染み込んでいる。本音を言うと、表舞台に出るのはいまだにちょっと苦手……。

年齢を重ねるほど自由になれる

人生は、さまざまな人との出会いがあるから面白い。年齢を重ねるにつれ、ますますそう思う。出会いを通して感じたり得たりすることが若い頃に比べて多く、しかも密度が濃くなっているからかもしれない。

私はどちらかというと、山も谷も通らずに生きてきた人より、苦労を経た人のほうが好き。よく、女は苦労知らずのほうが、素直でいいと言われる。果たしてそうだろうか？

確かに、苦労せずに年を重ねた女性には、純粋な明るさや無邪気さといったものがある。それはそれで魅力的、と言える。羨ましいと感じなくもない。けれども今ひとつ、人間的な深みに欠けるような気がしてならない。

苦労した女性は、人の痛みがわかり、相手を思いやることができる。だからなのだろう、味わい深いひだがある。息遣いや佇まいが穏やかで、肩に力が入っていない。苦労をうまく自分の肥やしにして生きてきた女性に出会うと、私はいつもこう思うのだ。

「人間って、だから素敵！」

苦労を知らずに年を重ねた女性にはたぶん、赤い口紅は似合わない。その人自身が「ビビッドな赤」のような存在だから。

逆に、苦労をしてきた女性は、ある種の生々しさが消えているため、とてもシック。だからこそ、赤い口紅が似合う。

おそらく、女性たちの多くは「できることなら苦労はしたくないし、年もとりたくない」と思うだろう。でも私は、苦労をいとわないし、年齢を重ねることもイヤではない。むしろ、年をとるのが大好きだ。

考え方にしても生活スタイルにしても、選択肢は人生経験を積めば積むほど増えていく。そこから本当に必要なものだけを選び、あとは捨てる。そして、自分の中に溜まった不要物を削ぎ落とす。実は「削ぎ落とす」ことは〝マイナス〟という贅沢で、こういう生き方は年齢を重ねなければできないことだと思う。

私が年をとるのが好きなのは、いらないものを削ぎ落としていくことで、どんどん自由になれるから。その先にはきっと、何ものにも捕らわれない楽しい生き方が待っているはず。そう思うと、これからの自分に元気が出てくる。

SUQQUを立ち上げてから、女性たちとの出会いが今までの何百倍にも増えた。しかも、お客様の生の声を聞き、そこに「真実の笑顔」を見ることができる。目は決して嘘をつかない。お客様がSUQQUの化粧品を理解してくださっていることが、ストレートに伝わってくる。その瞬間が今、最高に幸せ。

私はこれから、お客様に真実の笑顔を与える商品を、もっともっとつくっていく。すべての女性たちを自由に、美しくしたいから。そして、年を重ねることの楽しさを、ひとりでも多くの女性と分かち合いたいと思っている。

SUQQU製品カタログ

SKIN CARE
スキンケア

CLEANSING
クレンジング

SUQQU アイ メイク アップ リムーバー

120ml ¥3150

無色透明なオイルとローションの2層からなる、目元用の液体リムーバー。「デリケートな目元の皮膚をいたわりながら、アイメイクやマスカラをスッキリと落とします。マスカラを使った日は簡単で便利」オイルの洗浄力とローションの爽やかさが合体。ボトルをよく振ってから使う。

SUQQU メイク オフ ミルク

200ml ¥5250

2プッシュ分を手にとって肌になじませることで、メイクをきれいに落とす、ミルクタイプのクレンジング剤。「クリームに近い、とろっとなめらかな感触が特徴です。高いクレンジング力を持つので、しっかりとメイクをした日に」保湿成分が豊富なのに、洗浄力もある。使用後はしっとり。

SUQQU メイク オフ ジェル

125g ¥4200

みずみずしい感触を持つジェルタイプのクレンジング剤。「薄いメイクをさっぱりと落としたいときに。ソフトな使用感ながらも、毛穴の奥のメイクや汚れまで、スッキリと浮かび上がらせてくれます」マッサージするように顔になじませてからオフ。さっぱり感とともにしっとり感も。

SOAP
ソープ

SUQQU マイルド クリーミィ フォーム

100g ¥3990

豊かな泡立ちで、潤いを保ちながら汚れを落とす、クリームタイプの洗顔料。「すっと手軽に使えるから、疲れて帰った日や、旅行時には便利。フォームを使うかソープにするかは、使用感の好みで」高いトリートメント効果を発揮する成分に加え、肌にやさしいアミノ酸系の洗浄成分を配合。

SUQQU マイルド スキン ケア ソープ

100g ¥4200

純度の高いオリーブオイルをベースとした、翡翠色の透明固形ソープは、やさしい洗い上がりが特徴。保湿力と洗浄力も強力。「洗ったあとに肌がつっぱらない、しっとり感のある使用感と、泡立ちのよさが好評です。お風呂のように湿度の高い場所においても〝溶け減らない〟のも長所」

TREATMENT
トリートメント

SUQQU HA ハンド トリートメント
60g ￥5250

ヒアルロン酸の再生を促し、肌の水分量をアップさせるHA コンプレックスと、植物性スクワランを配合。すぐに保湿ができ、1日中手はしっとり。肌の奥で保湿が持続する。「手にハリやツヤが出れば、ネイルもさらに映えます」ベタつきがなく、しっとりしたテクスチャーもいい。

WIPE OFF
拭き取り

SUQQU フェイス リフレッシャー
150ml ￥5250

顔筋マッサージのあと、肌に残ったオイル分を落とすための、拭き取り用化粧水。「とにかく〝サッパリ感〟を追求しました。コットンにつけて顔をサッと拭くだけで、次のローションの浸透力も高めます」マッサージを終え、スポンジ クロスで拭き取ったあとに使用。

MASSAGE
マッサージ

SUQQU マスキュレイト マッサージ クリーム
（スポンジ クロス付き）200g ￥10500

顔筋マッサージの専用クリーム。「コシのある硬めのテクスチャーなので、強いストロークを続けてもヘタらない。指がしっかりひっかかるから、手を滑らせて顔を傷つけるのも防げます。マッサージには必須。保湿が潤沢なので、拭き取りにしました」保湿効果があるためマッサージ後の肌はしっとり。

BASIC CARE
ベーシック　ケア

SUQQU HA コンプレックス クリーム
30g ￥21000

夜つければ、翌朝見違えるほどの柔肌に出会えるクリーム。ベタつかないさっぱりとしたテクスチャーでありながら、その潤い効果は絶大。「コッテリ系が主流のクリームで、この感触は頼りなげに思うかもしれませんが、一度使えばその心配は消えます」コットンにとってたっぷり塗ることで、肌に吸いつくようにピタリとなじむ。

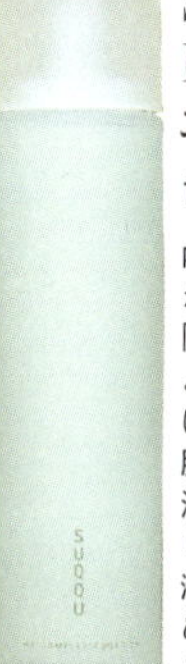

SUQQU HA コンプレックス エマルジョン
150ml ￥12600

内側も外側もふっくら柔らかな肌をつくる美容乳液。「どうしても肌にフタをするような、エッセンスタイプには転ばせたくなかった。肌にすっと浸透するこの乳液は、とても濃密。コックリとしたテクスチャーで、潤いをしっかりと肌にとどめます」HA コンプレックスを配合。

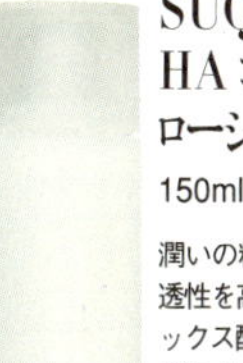

SUQQU HA コンプレックス ローション
150ml ￥6825

潤いの粒子を微小化して浸透性を高めた､HA コンプレックス配合の化粧水。「被膜感なく肌に潤いを持たせたいという、明確なビジョンがあったから、少なくとも100回は改良を重ねた。結果、絨毯に水をこぼしたように、じんわりと真皮に届き、肌にもちもち感、ふっくら感を実現させる商品に」

SUQQU フェイス プロテクター
30g ￥4725

保湿と紫外線防止にこだわったプロテクター。また、独特な〝白浮き顔〟を作り、ファンデーションが厚くついてひび割れるように化粧くずれを引き起こしていた今までのプロテクターとは一線を画す。「化粧の邪魔にならず、ベースメイクのフィット感を高めます」肌なじみもいい。SPF29 PA++

SUQQU メイク フィックス ミスト
60ml ￥5250

ベースメイクを肌に固定し、自然なツヤを与えるミスト。日中の潤い補給としてメイクの上から使用しても、またノーメイクの日の乾燥対策にも。「水をスプレーするだけでは、乾くと皮膚内部の水分まで取ってしまう。水分を逃さない、本当の意味での高質な保湿にこだわりました」

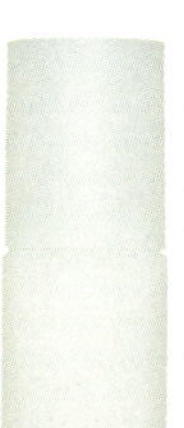

SUQQU プレ メイク エマルジョン
75ml ￥6825

朝の美しさと潤いを1日中保つ、メイク前の美容乳液。「仕上がり感を大事にしたかったので、化粧くずれの原因にもなるオイル分を極力控え、ギトギト感をなくしました」高い保湿力ながら、肌にのせると瞬時にサラサラに変わり、マットな肌に。わずか1滴をごく薄くのばすのがコツ。

BASE MAKE
ベース メイク

FOUNDATION
ファンデーション

SUQQU リキッド ファンデーション スキニー
全8色 30ml 各¥7140

のびやかに広がり薄く肌を包み込み、フィット。「〝ナチュラル〟よりも軽い、薄づきのファンデーション。毛穴、色むらを消しながら、素肌を思わせる自然な仕上がりが楽しめます」ツヤを与え、なめらかでくすみのない透明感ある肌色を持続できる。SPF15 PA+

SUQQU リキッド ファンデーション ナチュラル
全8色 30ml 各¥7140

淡い美しい色の〝6色の粒子〟が点在するリキッド ファンデーション。「中でも、6色の粒子の比率がもっとも高いのが、このタイプです。肌にすっとフィットして毛穴、色むらを消してくれる。夕方になってもくすまずに、透明感が続きます」肌に吸いつくように毛穴の色むらをカバー。くすみのない肌色が持続する。SPF15 PA+

SUQQU リキッド ファンデーション ルーセント
全3色 30ml 各¥5250

ソフトでとろりとした感触を持つリキッドタイプ。「ちょっとコクのある不思議な感じ。肌負担も少ないから、乳液をつける感覚で使えます」リキッドの中で一番薄づき。つけていることを忘れてしまいそうな軽さが特徴。それでいて素肌に透明感をもたらし、くすみのない肌色を持続できる。SPF14

BASE
ベース

SUQQU メイク アップベース
22g ¥4200

みずみずしいジェルタイプのメイク下地。肌にごく薄い膜をつくって、ファンデーションをピタッと密着させるため、美しい仕上がりが1日中続く。「下地がゆるいと、メイクはすぐにくずれてしまう。だからファンデーションを引き寄せるような密着感を持たせました。多くつけすぎるのも、くずれの大きな原因。適量を必ず守ってください」保湿効果もあり。

SUQQU クリーム ファンデーション
全8色 30g 各¥10500

透明感のある抜群のカバー力と、豊かな保湿力を持つクリームタイプのファンデーション。肌を潤わせながら薄くのびて、毛穴、色むら、カサつきをフォローする。「クリームなのに、肌の負担にならない軽やかさ。ベタつかないから、オイリードライ肌の人にもおすすめです。実際に、これがクリームファンデを好きになるきっかけになったという人は多い」SPF14 PA++

POWDER
パウダー

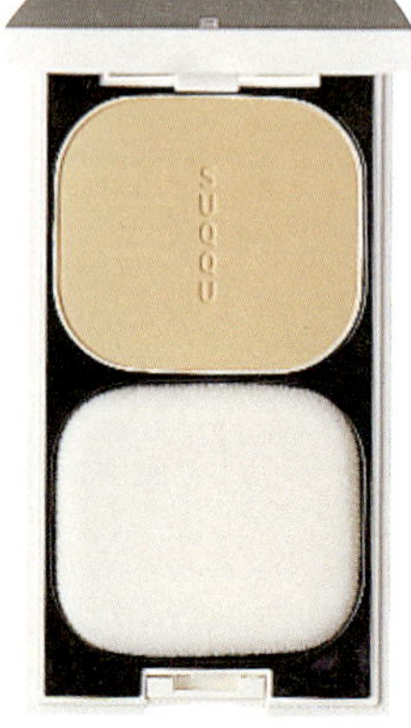

SUQQU プレスト パウダー
スキニー 全3色、ナチュラル 全2色
各¥6825(レフィル各¥4725 コンパクトケース・スポンジ付き¥2100)

ごく薄いヴェールで、ファンデーションを肌に固定するプレスト パウダー。「リキッド ファンデーションと同様に〝6色の粒子〟が入っていて、粒子の大きさは通常の100倍以上。毛穴落ちせず、ファンデーションとダブルで毛穴を完璧に消します」1日中、透明感ある肌をキープ。薄づきの「スキニー」と、カバー力のある「ナチュラル」の2タイプ。

ファンデーションは仕上がり感で選ぶ

ファンデーションを選ぶ場合、肌の欠点は隠したいけれど、カバー力を求めすぎると肌の透明感が失われるのでは……と、心配する人も多い。しかし6色の粗い粒子が入っているSUQQUのファンデーションは、どのタイプを使っても透明感が損なわれることはない。だから単純に使用感やカバー力で選べばいい。

商品構成はリキッド3タイプ、クリーム1タイプ。薄付きから順にルーセント、スキニー、ナチュラル、そしてクリーム。スキニーとナチュラルは次の2タイプの肌を基準にしているので参考に。

ナチュラルはリキッドの中でも一番6色の粒子の含有量が多く、カバー力があるタイプ。つるんとした肌はナチュラルを使うと、6色の粒子が肌に均等にのり、カバー力がそのまま発揮される。

一方、ざらつきのある肌は、6色の粒子が引っかかりやすいので、ナチュラルだとカバー力が出すぎる場合も。ナチュラルより粒子の含有量が少ないスキニーでも充分にカバー力は発揮される。

肌質によって同じファンデーションでも仕上がりに差が出るので、まずは店頭で聞いてほしい。

CONCEALER
コンシーラー

SUQQU スティック コンシーラー

全3色　各￥4200

メイク後の肌色調整、シミやクマなどのトラブル修正、そして化粧直しにと、オールマイティに使えるSUQQUのコンシーラー。「レフ板」の役目を持つホワイトにベージュを重ねて、指で大胆に混ぜ合わせる「ダブル使い」が基本だ。「自然な仕上がり感を持つシークレット・ファンデーション。何度重ねても、肌は透明感を失わないから、クレヨンを塗る感覚でメイクの上から自信を持って気軽に使ってみてください」

REMODEL
化粧直し

SUQQU あぶらとり紙

50枚入り（携帯ケース付き）￥3675

「小さなあぶらとり紙で、チマチマと皮脂を取っていたら、せっかくメイクをした肌に〝断層〟ができてしまう。ファンデーションをくずさずに、あぶらとりができないだろうかと思って、考案したのがこれです」顔をすっぽりと覆う巨大サイズのあぶらとり紙は、タオルで顔を拭く要領で肌に押し当てれば、肌に断層を作らず、瞬時に皮脂を取ることが可能。

SUQQU ポイントリペア

全3色　9ｇ　各￥5250

つけた瞬間に、肌にハリ感をもたらすリフトアップ化粧品。夕方になると気になる小じわや毛穴、ほうれい線の修正に効果的。保湿効果も高く、メイクの上でパサついたりヨレたりしない。「リフトアップと保湿とカラーを同時に肌の上に展開させることにこだわりました。完成するまでに3年半かかった究極の逸品です」

POINT MAKE
ポイント メイク

EYE MAKE
アイメイク

SUQQU パウダーアイシャドウ

全30色 各￥3150

肌から浮き上がらない、クリーミィでマットな質感を持つアイシャドウ。「色選びの基準にしたのは、東洋人の肌に合うカラー。どれも私たちの肌が持つ〝黄み〟と見事に調和して、目元で美しく発色します」また、「日常使いでパールはいらない」というのも、田中メソッド。定番色は時間が経つとくすむパールをあえて外し、1日中くすまない。

SUQQU パウダーアイブロウ

全5色 各￥3150

粉飛びしないですっと描ける、パウダータイプのアイブロウ。「描きましたという眉ではなく、ソフトなニュアンスのある眉を作るためには、パウダー アイブロウが不可欠。眉毛と同じような、ほんのりマット感のある5色のバリエーションを用意。眉の色に合わせて選んで」パウダーアイライナーとしても使える。

SUQQU アイライナー ペンシル

全2色 各￥4200（カートリッジ・チップ付き各￥2100 ホルダー ￥2100）

きれいなアイラインを、簡単に入れることができるペンシルタイプのアイライナー。「これは一度しっかりラインを引くと、1日中くずれません」軟らかめの芯は肌づきがよく、まつ毛の内側まで、繊細なラインを入れることができる。

SUQQU アイブロウ ペンシル

全2色 各￥4200（カートリッジ 各￥2100 ホルダー・スクリューブラシ付き ￥2100）

「アイブロウ ペンシルは、眉を1本1本描き足すものだから、ある程度の硬さが必要。芯にこだわって、もっとも描きやすいものを作りました」ほどよい太さと硬さを持つこのペンシルは、オイリーな肌にもしっかりと描き込め、朝のきれいな眉が1日中持続する。汗をかいても色が落ちない、今までにない仕様。

SUQQU マスカラ ボリューム ロング

￥5250

まつ毛の根元から先まで繊維をからめながら、1本1本をコート。根元からボリュームのある長いまつ毛を作り出す。「SUQQUのマスカラは、すべて水に強い処方。でも、取るときには潔く落ちてほしいから、38度以上のお湯で落とせるようにしました。洗顔でそのままポロポロと取ることができます」

SUQQU マスカラ ロング

￥5250

SUQQUの3タイプのマスカラは、すべてブラシの形状が違う。これは細くまっすぐな毛のついたブラシが、まつ毛の先に繊維をしっかりからめながらコートするタイプ。「ナチュラルに長いまつ毛を作るので、まつ毛が短い人も印象的な目元に。マスカラにはうるさいという人も必ず納得する仕上がりです」

SUQQU マスカラ ボリューム

￥5250

まつ毛の根元を太くしっかりと見せる、ホールド力の高い漆黒のマスカラ。スクリューに工夫をこらしたブラシが、まつ毛1本1本をボリュームアップ。しかも束にならない。「まつ毛がまばらな人に最適。目に繊維が入りにくいようにできているので、コンタクトレンズを使用している人にもおすすめです」

SUQQU マスカラ ベース

￥4200

マスカラを塗る前の下地として使用。「上下のまつ毛を一度白く塗り上げることで、マスカラを塗るときの道すじを作るだけでなく、ボリュームロング力、ホールド力をアップ。マスカラを落ちにくくします」太くて硬い毛のついたストレートフィラメントのブラシが、根元からキャッチしてしっかりカール。

LIP
リップ

SUQQU リップ グロス
¥3150

エナメルのような、透明でツルリとした輝きを演出してくれるグロスは無色。「SUQQUの口紅の微妙な色調を楽しんでほしいから、グロスは透明にこだわりました。また、液だれしないように硬さを持たせて、少量でのびるようにしたのです」唇が荒れているときの補修にも使えるリップ グロスはポーチに1本、常備しておきたい。

SUQQU クリーミィ リップ スティック
全26色 各¥5250

全26色のうち17色がベージュ系という独特のバリエーション。「一生塗りたいのに、年齢を重ねると似合わなくなっていくベージュを何とかしようと思いました。そして、〝暗み〟を抜くことで東洋人の肌に合う、くすまないベージュを作ることに成功したのです」クリーミィな質感や、つけた瞬間に放つエナメルのような輝きも魅力。唇の色もカバー。

SUQQU リップ ライナー ペンシル
全8色 各¥4200
(カートリッジ各¥2100 ホルダー¥2100)

マットな質感でありながら、しなやかにのびるSUQQUのリップ ライナー ペンシルは、口紅のあとに使う。「あえて同色使いをせず、口紅と違う色を選ぶのがおすすめ。口紅の色が同じベージュでも、リップ ライナー ペンシルをピンク系、ボルドー系と変えることで、違うニュアンスが楽しめます」だからカラー バリエーションも豊富。

NAIL
ネイル

SUQQU ネイル カラー
全27色 各¥2625

発色鮮やかな27色が揃ったネイル カラー。「色選びの原点となったのは手の肌に似合うこと。そして指先は〝艶やかなほうがきれい〟という視点から、光沢と品性を持たせました」ブラシの使いやすさも高レベル。

SUQQU ベース コート
¥2100

爪表面の凹凸をなめらかに整えながら、ネイルの発色をサポートし、爪の変形もカバー。「マットな淡い色がついていますが、これによってネイルの発色とからみがよくなり、はげにくくなるのです」

SUQQU トップ コート
¥2100

ネイル カラーのもちを格段によくし、輝きの質をさらにアップさせるのがトップ コート。「ベース コートと合わせて使えば、ネイルが1週間はビクともしない」ブラシの使いやすさにもこだわった。

SUQQU ネイル カラー リムーバー
¥2100

「〝爪に負担をかけず、すばやくリムービングできるもの〟を目指して、作りました」植物性スクワランをはじめとする、すぐれた保湿成分をたっぷりと配合し、爪をいたわりながら、ネイルをオフ。

CHEEK
チーク

SUQQU クリーミィ パウダー チークス
全9色 各¥4200

夕方になっても取れにくい、練りタイプのチーク。指先にとったときはクリーミィだが、頬につけるとサラサラに。「2本の指でそのままつけられるから、失敗が少ない。チークを使うのが苦手な人や、初心者にはおすすめです。またチークには元気で血色よく見せる効果も。くすまない色をセレクトしたので、チーク使いが楽しくなるはず」

SUQQU パウダリィ チークス
全14色 各¥4200

肌の色を生き生きと彩るとともに、顔にメリハリをつくるパウダー状のチーク。顔を立体的に仕上げるためには欠かせない。オリジナルのブラシを使えば、頬に絶妙なグラデーションが。「フェイス・プロポーションを整えるのに、チークは必須。チークなしだと、平面的な顔に見えてしまいます」しっとりしたキメ細やかなテクスチャー。

MAKE UP TOOLS
メイク アップ ツール

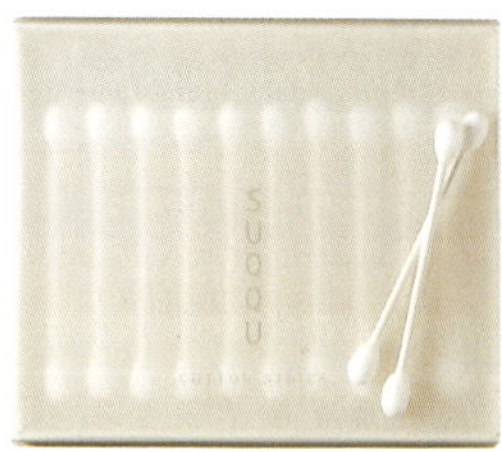

SUQQU コットン スティック

110本入り ￥1050

「綿の巻きが硬いと使いにくいし、軟らかすぎるとボロボロとほぐれて、芯が肌に当たってしまう。試行錯誤の末に3タイプが完成し、そのうちもっとも使いやすかった1タイプを商品化しました」丸みが大きいので、広い面にも対応。アイシャドウをぼかしたり、トラブルの修正など、あらゆるシーンで大活躍。

SUQQU コットン

120枚入り ￥1050

ローションやエマルジョンやクリームなどをしっかりと含んで、肌になじませてくれる大判のコットン。「このサイズを決めるまで、試行錯誤を繰り返しました。コットンの表面の柔らかさ、肌へのなじみにこだわったから。肌への摩擦を避けながらたっぷりと水分やクリームを肌の奥まで届けられるコットンです」

SUQQU スポンジ L

（ビニールケース付き）

￥1050

2面加工されたプレスト パウダー専用スポンジ。「しっかりとパウダーをのせたいときにはスポンジ面、薄くなじませたい場合は起毛面を使います。スポンジ面の色をベージュにしたのは、いつまでもきれいな色でありたいから」スポンジから手がはみ出ない、たっぷりサイズで、使い勝手も申し分なし。

SUQQU メイク アップ コンパクト

￥2100

アイシャドウ、アイブロウ、チークなどがセットできる便利な専用コンパクト。「それぞれを自由に組み合わせて持ち歩くことができ、さらに携帯用のチークブラシやアイシャドウブラシなどをセットすることができます」

SUQQU スポンジ クロス

￥1050

マッサージ後の油分をやさしく拭き取るための、ハンカチサイズのクロス。「厚ければ丈夫だけど使いにくい。でも薄いと爪でひっかけて破れてしまう……。適度な厚さを生むのに苦労しました。水で濡らして絞るときに、あまり固く絞らないのが、上手に拭き取るコツ」洗って乾かせば何度でも使用できる。

SUQQU メイク アップ コンパクト用 アイブロウ ブラシ(左) アイシャドウ ブラシ(中) チーク ブラシ(右)

（左より）￥1050、￥1050、￥2100

「コンパクトに収めるブラシにも妥協はしません。上質な素材を用いたブラシは、携帯用とは思えないほどハイレベルな使い心地を約束します」アイシャドウ ブラシは灰リス毛80%と馬毛20%、アイブロウ ブラシは強いタッチのためイタチ毛100%、チーク ブラシは灰リス毛100%。

SUQQU アイラッシュ カーラー （替えゴム2本付き）￥2100

まぶたと45度の角度で密着させると、自然にまつ毛の根元部分に入り込んで、根元からの自然なカールを簡単に作ってくれる。まぶたを挟んだ経験から使うのを躊躇している人にも。「まぶたに当たる部分をフラットにしたことで、絶対にまぶたを傷めません。より安全に、簡単にまつ毛のカールができます」

SUQQU アイシャドウ ブラシ

(左より)S.F.M.L 各￥8400

「毛が少なすぎる。そして抜ける。そんなブラシが許せなくて抜けにくい豊かな毛で、毛先をカットしていないブラシを作りました。誰もが簡単にグラデーションを作れます」360度、どの角度を使ってもきれいなぼかしが可能。最高に軟らかい、通称「ねこやなぎ」(アイシャドウブラシM)は画期的。すべて灰リス毛100%使用。

SUQQU アイライナー ブラシ

￥4200

コシのある根元と、先に行くほど細くなめらかな毛先により、上下の目の際に思うとおりのラインが描ける。「鋭角なエッジがないので肌当たりがよく、毛の厚みとコシを利用すれば、力を入れることなく簡単に目元を引き締めることができます」上質のイタチ毛100%使用。

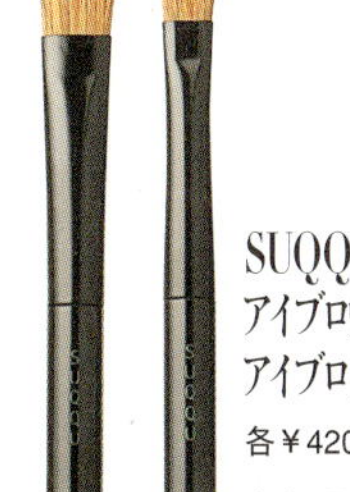

SUQQU アイブロウ ブラシ L(左) アイブロウ ブラシ M(右)

各￥4200

ナチュラルで美しい眉がすばやく描ける、オロンピー毛100%使用のブラシ。「斜めのラインは独自のもの。自然なラインを思いどおりに描くことができます。なめらかな毛並みと、根元が厚く毛先の細いフォルムは絶品」パウダーをしっとりと眉にのせるのに最適。細い眉を描くならMを。

SUQQU フェイス ブラシ

￥31500

「このブラシには〝ヘリ〟というものがありません。つまり、パウダーが直線的に濃くつくことがないので、きれいなグラデーションを作ることができます。まさにメイクは道具で決まる、ということが実感できる一本」中心の一本からすべて上質な灰リス毛。このボリューム、世界に一本の豪華ブラシ。

SUQQU チーク ブラシ

￥15750

「上質な灰リス毛100%を使ったチーク ブラシはどこにもありません。通常は中心に違う毛を入れますが、私はそれが許せなかった。このブラシは真ん中一本まで灰リス。とっても贅沢なブラシです」丸みのある長めの毛によって、グラデーションも簡単にできる。パウダーの量も調整しやすい。

SUQQU リップ ブラシ L(左) リップ ブラシ H(右)

(左より)￥5250、￥4200

写真左は、上質なコリンスキー毛を100%使用したリップ ブラシ。「平打ちにしたことと、毛の部分を一般のリップ ブラシより1ミリ長くしたことで、口紅がブラシの先から逃げずに、唇に密着します」右はスライド式のキャップ付き。上質のイタチ毛を100%使用。ともに毛先をカットしていないので、唇を刺激しない。

撮影
高橋ヒデキ(人物)
恩田はるみ(静物)
モデル
ANRI
デザイン
柿崎宏和
(ザ・グラフィック・サービス)
スタイリング
伊藤聖子
イラストレーション
古川美和
協力
斉藤さゆり
藤川かえで
編集
辻啓子

田中宥久子 たなかゆくこ

福岡県生まれ。美容学校を設立した祖母の影響を受けて、幼い頃から美粧の基礎を仕込まれながら育つ。国家試験合格後、ヘアメイクの仕事に就く。映画を中心とした映像の世界で活躍。台本を読み込んだ緻密で丁寧な役柄作りと独創的な技術は、多くの監督、女優・俳優から信頼を得ている。2003年9月デビューのブランド「SUQQU」をクリエイト。独自の美容理論を「田中メソッド」として発表。常識を覆す新理論を打ち立て、美容業界に衝撃を与えている。第3回 ゆうばり国際映画祭ビューティスピリット賞受賞

http://www.suqqu.com

SUQQUショップリスト

札幌大丸	☎011-207-7411
札幌丸井今井	☎011-221-5175
仙台三越	☎022-722-3651
新潟三越	☎025-226-7153
銀座三越	☎03-3538-3025
日本橋三越	☎03-5204-2031
東急東横	☎03-5459-0971
玉川髙島屋	☎03-5717-3135
新宿伊勢丹	☎03-5919-4710
池袋東武	☎03-5958-2150
横浜髙島屋	☎045-410-1355
名古屋松坂屋	☎052-238-2162
名古屋髙島屋	☎052-533-5031
心斎橋そごう	☎06-6244-5905
うめだ阪急	☎06-6367-8007
大阪髙島屋	☎06-6635-0103
京都髙島屋	☎075-229-6301
広島福屋	☎082-504-4343
岡山髙島屋	☎086-234-6211
高松三越	☎087-811-9555
松山三越	☎089-913-7153
岩田屋	☎092-735-1007
博多大丸	☎092-737-1760

7年前の顔になる(しちねんまえのかお)
田中宥久子(たなかゆくこ)の
「肌整形」(はだせいけい)メイク
2004年11月26日 第1刷発行
2006年 2月10日 第4刷発行

著者 田中宥久子(たなかゆくこ)
編集人 温井明子
発行者 田村仁
株式会社 講談社
東京都文京区音羽2-12-21 〒112-8001
出版部☎03-5395-3449
販売部☎03-5395-3604

印刷・製本 大日本印刷株式会社

落丁本、乱丁本は購入書店名をご明記のうえ、小社業務部宛にお送りください。送料小社負担にてお取り替えいたします。☎03-5395-3603
なお、この本の内容についてのお問い合わせは、第二編集局Grazia編集部にお願いいたします。定価はカバーに表示してあります。
Ⓡ本書の無断複写(コピー)は著作権法上の例外を除き、禁じられています。

©KODANSHA 2004 Printed in Japan ISBN4-06-353700-5